LA RÉFLEXOLOGIE

DU

CERVEAU

pour visuels et auditifs

Du même auteur, chez le même éditeur:

Découvrons la réflexologie, 1980
Énergie et réflexologie, 1985

Madeleine Turgeon n.d.

LA
RÉFLEXOLOGIE
DU CERVEAU
POUR AUDITIFS ET VISUELS

 Editions de Mortagne

Édition:
Les Éditions de Mortagne
250, boul. Industriel
Boucherville (Québec)
J4B 2X4

Diffusion:
Tél.: (514) 641-2387

Dépôt légal:
Bibliothèque nationale du Canada
Bibliothèque nationale du Québec
4e trimestre 1988

ISBN: 2-89074-292-X
Reliure spirale: 2-89074-293-8

1 2 3 4 5 - 88 - 92 91 90 89 88

IMPRIMÉ AU CANADA

REMERCIEMENTS

Je remercie sincèrement tous ceux qui m'ont aidée et encouragée dans la rédaction de ce livre. Je remercie spécialement:

- France Boivin pour sa collaboration étroite et joyeuse à la rédaction du manuscrit.

- Pierrette Turgeon pour son écoute attentive et sa participation aux diverses expériences sur les visuels et les auditifs.

- Daniel et Carole Giroux pour la patience et le soin apportés au traitement de texte du manuscrit.

- Marcel Fortier pour la beauté et la pureté des dessins.

- Tous les participants à mes ateliers de réflexologie qui, grâce à leur intérêt soutenu, me permettent de pousser ma recherche toujours plus loin.

TABLE DES MATIÈRES

PRÉFACE

Après des années où la psychanalyse et ses dérivés occupaient presque tout le champ de la thérapie et de la relation d'aide, on assiste maintenant à une prolifération et à une diversification des approches et des techniques. Des auteurs en ont répertorié jusqu'à 400.

De fait, les enjeux sont importants tant au plan économique que politique. Nous n'avons qu'à penser aux crédits attribués à la formation et aux études et techniques utilisées pour amener les gens à s'adapter aux changements.

De leur côté les médias ont contribué à l'essor des explications et des interventions sauf qu'ici on parlera plutôt en termes de **communication**.

Mais les divergences des théorisations, des pratiques, des médiateurs, des formes, des finalités, ainsi juxtaposées laissent plus d'un spécialiste perplexe et que dire de celui qui ne s'y connaît pas dans le domaine! Il nous fallait chercher un fil conducteur.

C'est ainsi qu'au milieu des années 60 nous avons commencé à rechercher les liens et filiations qui existaient entre des activités thérapeutiques et techniques utilisées au Québec pour venir en aide aux enfants qui présentaient des troubles d'apprentissage.

Pour saisir le sens profond des inspirations et des structures phénoménologiques se fécondant les unes les autres, il est apparu très tôt qu'il fallait dépasser la sempiternelle et formelle interdisciplinarité pour en arriver à une étude intradisciplinaire.

C'est ce qui nous a amené à prendre l'enfant, objet de nos préoccupations, comme sujet et surtout comme point de référence ultime. La démarche des éthologues nous a permis de mieux comprendre les compétences perceptives, les comportements, les interactions et la communication chez les enfants. La confrontation de quelques-unes de ces approches et techniques d'intervention avec eux nous a fait prendre conscience des **profils auditifs et visuels en communication** à leur niveau. C'est encore les enfants qui, mis en confiance, nous les ont fait voir chez leurs parents, dans la famille.

Comme d'autres auteurs en ont cherché l'application en pédagogie, nous en avons cherché l'application dans le monde des adultes pour mieux cerner cette fois «l'Humain dans le Système».[1]

Aujourd'hui l'auteure, réflexologue, l'applique à sa discipline et apporte par le fait même un complément de données sur ce concept.

Dans ce livre, nous voyons comment les descriptions du fonctionnement du cerveau permettent une compréhension plus claire de notre comportement intérieur et de nos gestes et actions extérieurs. Tout compte fait, voilà ce qui nous a motivé à formuler une explication sous forme de modèle et permis de rassembler et, pourquoi pas, de résumer ce complexe **computo** qu'est l'humain.

Le moment est bien choisi pour expliquer que même si le modèle en cause est bipolaire, il n'en demeure pas moins, tel que démontré dans ce livre, qu'il est multidimensionnel. Au niveau du cerveau par exemple, il y a là plusieurs milliards de neurones en interaction constante et la communication entre eux se fait non seulement dans un sens horizontal entre les deux hémisphères du cerveau et leurs différentes régions mais aussi sur un plan vertical, d'un étage à l'autre. D'ailleurs, en témoignent les divers questionnaires qui ont été réalisés à ce jour dans le but d'identifier le profil neuro-sensoriel selon notre modèle. De là, à chaque palier évolutif apparaissent des différenciations et des équilibres nouveaux.

Nous voudrions aussi dans cette préface attirer l'attention du lecteur sur deux faits ainsi que sur un souhait, des plus sincères, que nous formulons.

Dans un premier temps, qu'il réalise, qu'un survol de la littérature permet d'identifier plusieurs modèles qualifiés de bipolaire. C'est donc suggérer qu'à l'heure actuelle, plusieurs travaux sont en cours, de nombreuses recherches sont en voie d'exécution dans le but de mieux adapter les systèmes d'information de gestion à l'humain. Il nous fait immensément plaisir d'encourager ces chercheurs. Le fait qu'un esprit de compétition soit présent et motive, est bon et riche. Les éléments de complémentarité qui découlent des divers modèles risquent de porter fruits et de nous faire mieux comprendre le **computo** humain.

Dans un deuxième temps que le lecteur sache que pour certains, le modèle des auditifs et des visuels paraît simpliste... à première vue! Le reproche qu'on entend à l'occasion se formule de la manière suivante: «Comment un modèle aussi simple peut-il prétendre expliquer un système aussi complexe que l'humain?»

Évidemment le présent livre offre une réponse à cette question-reproche. Quant à notre réponse, elle est double. D'abord le modèle des auditifs et des visuels ne se veut pas statique, mais dynamique et repose sur un continuum entre les deux pôles extrêmes (pardonnez le pléonasme!). Aussi, il importe de retenir la notion de «multidimensionalité» que nous avons évoquée et sans laquelle un cadre complexe visant l'explication du **computo** humain ne se réalise pas et ne pourra jamais se réaliser. Ce serait le «figer». D'ailleurs cette notion est bien illustrée par l'auteure.

Ce qui nous a guidé — et ce qui nous guide toujours — c'est l'image illustrant que le modèle des auditifs et des visuels ait ouvert une *porte*! Aussi, derrière cette porte initiale nous voyons maintenant de nombreuses autres *portes*, toutes aussi fascinantes les unes que les autres: une intitulée la neuropsychologie développementale, la pédagogie des auditifs et des visuels, une autre nommée *management* et ainsi de suite. Il est bien évident que la courte durée de nos vies et le fait que nous œuvrons dans des secteurs disciplinaires bien précis ne nous permettront pas personnellement et individuellement de tout étudier, de tout dire et de tout étudier sur le sujet. Il devient donc de plus en plus urgent que les professions se parlent entre elles! Voilà notre souhait.

Nous demeurons toujours étonné d'entendre et de lire des explications cloisonnées et surtout «cloisonnantes» reliées au fonctionnement de notre cerveau, de notre **computo**, qui sont purement neurologiques ou purement psychologiques, ou purement psychiatriques et ainsi de suite. Aussi nous avons parfois l'impression que les méthodes et les moyens de décrire et d'expliquer ces phénomènes sont soit «hard», soit «soft».

On se croirait en train de recevoir des explications à *la sauce informatique* avec ses matériels («*hardware*») et ses logiciels («*software*»). Mais comme l'informaticien le plus néophyte saurait nous le dire, pour obtenir une véritable compréhension du fonctionnement d'un ordinateur, c'est-à-dire pour formuler un modèle décrivant comment fonctionne le cerveau-ordinateur, il est absolument indispensable de considérer simultanément et concurremment le «hard» et le «soft». L'un ne peut se passer de l'autre!

Le lecteur appréciera alors un peu mieux notre objectif. Par l'entremise du modèle des auditifs et des visuels nous ne cherchions pas à cloisonner au sein d'une profession ou d'une discipline, la connaissance et la compréhension du **computo** humain, mais de faire le contraire: de décloisonner en offrant des contributions et des appuis à tous, indépendamment des professions, de la scolarité, de l'activité humaine.

En matière de comportement, nous demeurons hélas! trop souvent les observateurs des autres. Nous admirons le travail de l'auteure qui a tiré au clair ce que nous aimerions qualifier de modèle à la fois holistique et holographique du cerveau, tout en nous permettant de nous découvrir...

Raymond Lafontaine,
Neurologue,
et
Roland Hurtubise,
Professeur, ENAP.

15 octobre 1988
Montréal et Sillery.

———————

(1) Hurtubise, **R.**, «L'Humain dans le Système». Éditions Agence d'ARC, Montréal, 1982.

Lessoil-Lafontaine B., «Gérer en auditif...ou en visuel?». Éditions Agence d'Arc, Montréal, 1986.

ÊTES-VOUS VISUEL OU AUDITIF?[1]

JEU QUESTIONNAIRE[2]

Ce questionnaire a pour but de déterminer quel est votre hémisphère cérébral dominant, le gauche ou le droit, et par le fait même de savoir si vous êtes visuel ou auditif.

MARCHE À SUIVRE:

A) Supposez que vous vivez ces mises en situation pour la *première fois* de votre vie.

B) Indiquez par A ou B votre *choix spontané*.

Remarque importante: il n'y a pas de *bonnes* ou de *mauvaises* réponses, il n'y a que celles qui sont importantes pour vous et qui correspondent à votre profil.

C) Lorsque vous ne savez pas quelle réponse vous convient, cherchez laquelle des deux correspond à votre réaction première.

---

(1) Pour faciliter la lecture de ce questionnaire, nous n'utilisons que le masculin qui comprend à la fois le féminin et le masculin.

(2) Ce questionnaire, élaboré par Mme Madeleine Turgeon, a été inspiré de ceux de M. Raymond Lafontaine et de M. Ivon Robert.

1- Une voix forte:

A- Vous indispose et paralyse votre action?

B- Vous laisse perplexe (qu'est-ce qui lui prend?).

2- Une voix faible:

A- Vous indispose (quel effort cela me demande pour la comprendre!)?

B- Vous met à l'aise (je ne risque pas de me faire remarquer)?

3- Préférez-vous suivre un cours durant lequel:

A- Le professeur échange très peu avec ses étudiants?

B- Le professeur échange beaucoup avec ses étudiants?

4- Devant un nouvel appareil, avez-vous tendance:

A- À lire le manuel d'instructions avant de vous en servir?

B- À essayer de le faire fonctionner avant d'avoir lu le manuel d'instructions?

5- Quand vous avez un problème, êtes-vous d'ABORD porté à chercher:

A- Des solutions à court terme?

B- Des solutions à long terme?

6- Lorsque vous allez quelque part pour la première fois, qu'est-ce qui attire d'abord votre attention?

A- Les couleurs (murs, meubles, tapis, etc.)?

B- L'aspect des lieux (formes et dimensions des pièces, des meubles, etc.)?

7- Si vous attendez une personne et qu'elle arrive en retard?

A- Passez-vous cet incident sous silence?

B- Lui faites-vous des remarques à la première occasion?

8- Devant un imprévu (exemple: une panne d'auto), avez-vous tendance:

A- À être déçu tout en composant avec les événements?

B- À avoir les nerfs en boule et à devenir tendu?

9- Si vous faites face à un problème:

A- Réfléchissez-vous aux solutions possibles avant d'agir?

B- Passez-vous spontanément à l'action avant de réfléchir?

10- Lorsque vous travaillez est-ce qu'un bruit inopiné (exemple: la sonnerie du téléphone):

A- Vous déconcentre?

B- Ne vous déconcentre pas trop?

11- Lorsque quelqu'un vous parle:

A- Tenez-vous à ce qu'il vous regarde?

B- N'y tenez-vous pas particulièrement?

12- Préférez-vous agir:

A- Seul, en demandant de l'aide au besoin?

B- En groupe, à cause de l'entraide mutuelle?

13- Devant l'inconnu, êtes-vous:

A- Surtout intrigué?

B- Plutôt nerveux?

14- Quand vous regardez la télévision:

A- Faites-vous des commentaires à haute voix?

B- Écoutez-vous l'émission en parlant le moins possible?

15- Pour vous détendre, avez-vous tendance:

A- À changer d'activité?

B- À vous asseoir et à réfléchir?

16- Lors de la réalisation d'un projet, que préférez-vous connaître d'abord:

A- Les buts du projet (le pourquoi)?

B- La façon de le réaliser (le comment)?

17- En entendant un bruit inhabituel:

A- Irez-vous voir d'où il provient?

B- Resterez-vous tranquille sans trop vous en préoccuper?

18- Pour arriver à destination:

A- Vous faut-il un plan?

B- Est-ce qu'une explication verbale vous suffit?

19- Lors d'une réunion où vous rencontrez des gens pour la première fois, vous entretenez-vous:

A- Avec une ou deux personnes en particulier?

B- Avec un peu tout le monde?

20- Lorsque vous lisez un livre:

A- Pouvez-vous en lire de longs passages sans vous déconcentrer?

B- Le lisez-vous par petites tranches à la fois?

21- Devant une décision:

A- Prenez-vous le temps de réfléchir, de vous donner du temps?

B- La prenez-vous le plus rapidement possible?

22- Avez-vous tendance à exprimer ce que vous ressentez:

A- À ceux que vous côtoyez régulièrement?

B- À des amis intimes?

23- Face à un échec, avez-vous tendance:

A- À vous en sentir responsable?

B- À chercher les causes de votre échec chez vous et chez les autres?

24- Que faites-vous avec une boîte d'aliments vide en carton?

A- La brisez-vous avant de la jeter à la poubelle?

B- L'utilisez-vous comme poubelle, sans la briser, avant de la jeter?

25- Quand on vous donne un travail, préférez-vous qu'on vous en fasse un plan:

A- Détaillé?

B- Schématique?

26- Vous sentez-vous plus à l'aise:

A- Dans des situations concrètes?

B- Dans des situations hypothétiques?

27- Lorsque vous lisez, faites-vous attention d'abord:

A- Au sens de ce qui est écrit (fond)?

B- À la façon dont c'est écrit (forme)?

28- Face à une tâche nouvelle, préférez-vous:

A- Vous familiariser avec elle d'une façon concrète et pratique?

B- En assimiler la théorie avant de passer à la pratique?

29- Préférez-vous des projets:

A- À long terme?

B- À court terme?

30- Lorsque vous allez dans les montagnes russes:

A- Criez-vous ou riez-vous nerveusement?

B- Serrez-vous les dents?

31- Lorsqu'une personne ne vous sourit pas, vous demandez-vous d'abord:

A- Si elle est fâchée contre vous?

B- Ce qui lui est arrivé?

32- Devant une situation stressante, avez-vous tendance:

A- À devenir tendu, nerveux?

B- À devenir soucieux, à ralentir votre rythme?

33- Lorsque quelqu'un élève la voix au cours d'une conversation:

A- Vous vous taisez ou vous changez de sujet?

B- Vous élevez la voix vous aussi?

34- Une voix basse et grave:

A- Ne vous incommode pas?

B- Vous fatigue à la longue?

35- Lorsque vous parlez à quelqu'un et qu'il ne vous regarde pas:

A- Vous vous arrêtez de parler?

B- Vous continuez de parler comme si de rien n'était?

36- Lors d'une réussite:

A- Vous ne comptez pas particulièrement sur l'approbation de votre entourage?

B- Vous désirez vivement recevoir des félicitations?

37- La façon de dresser la table et de présenter les plats:

A- Est très importante pour vous?

B- N'est pas très importante pour vous?

38- S'il vous arrive de déplaire:

A- Cela vous rend anxieux et désireux de faire la paix le plus rapidement possible?

B- Cela n'est pas très important, car vous pouvez vous reprendre plus tard?

39- **Devant une pancarte sur laquelle est inscrit: "Ne touchez pas", respectez-vous:**

A- Difficilement la consigne?
B- Facilement la consigne?

40- **On vous apporte un plat, quelle sera votre première réflexion:**

A- Ah! que c'est beau!
B- Ah! que cela sent bon!

41- **Lorsque vous prenez le volant:**

A- Regardez-vous avant de reculer?
B- Commencez-vous à reculer avant de regarder?

42- **En voiture, attachez-vous votre ceinture de sécurité:**

A- Avant de partir?
B- À la première occasion après être parti?

43- **Quand vous mettez de l'ordre dans vos tiroirs:**

A- En videz-vous tout le contenu pour ensuite en classer tous les articles?
B- Sortez-vous les articles un à un en les classant au fur et à mesure?

44- **Quand vous êtes au volant:**

A- Avez-vous tendance à «tricoter» dans la circulation?
B- Suivez-vous plutôt le flot de la circulation?

45- **En ce qui concerne l'heure des repas:**

A- Préférez-vous manger à heure fixe?
B- Souhaiteriez-vous manger à l'heure où vous avez faim?

Si vous voulez connaître votre profil, lisez les commentaires des pages qui suivent.

Commentaires

<table>
<tr><td>VISUEL</td><td>AUDITIF</td></tr>
</table>

1-A

Il pense que la personne qui lui parle sur un ton élevé est en colère contre lui et cela l'empêche d'agir.

B

Il ne se sent pas nécessairement concerné, mais se demande pourquoi la personne parle si fort.

2-A

Il est indisposé quand une personne lui parle d'une voix faible parce qu'il doit faire un effort supplémentaire pour la comprendre.

B

Il est heureux quand une personne lui parle d'une voix faible parce qu'ainsi il ne risque pas de se faire remarquer.

3-B

Comme c'est l'action qui le mène à la réflexion, il aime échanger avec son professeur pendant le cours, cela l'aide à mieux comprendre la matière enseignée. Il doit faire ses commentaires au moment où il a une idée en tête, sinon il oublie ce qu'il voulait dire.

A

Il préfère ne pas interrompre le professeur pour se faire une idée d'ensemble du sujet. Il pose ses questions pendant la pause ou encore à la fin du cours.

4-B

L'action alimentant sa réflexion, il a besoin de jouer avec les boutons de l'appareil pour que sa pensée se mette en marche et pour comprendre ainsi le fonctionnement de l'appareil.

A

Ayant besoin de réfléchir avant d'agir, il lira attentivement le manuel d'instructions avant d'utiliser un nouvel appareil.

5-A

Tout problème l'inquiète et il veut y trouver des solutions le plus rapidement possible, quitte à se tromper et à être obligé d'ajuster son tir en cours de route.

B

Pour lui, tout problème mérite une solution, mais pas n'importe laquelle. C'est pourquoi il prend le temps de réfléchir et de trouver celle qu'il juge la plus appropriée avant d'entreprendre quoi que ce soit.

6-A

Son attention est d'abord attirée par tout ce qui l'entoure. Il n'a pas assez de ses deux yeux pour tout voir.

B

Ce qui importe d'abord pour lui, c'est l'ambiance et l'atmosphère du lieu où il se trouve; elles influenceront son comportement.

VISUEL	AUDITIF

7-B
Il s'énerve et s'inquiète quand quelqu'un est en retard et il ne manque pas de le lui faire savoir à la première occasion.

A
Il s'impatiente quand quelqu'un accuse un retard. Il essaie quand même d'y trouver une explication logique et attend qu'on lui en fournisse la raison.

8-B
Tout événement qui bouscule l'horaire d'un visuel l'énerve. Ses minutes sont comptées et le moindre imprévu lui cause bien des désagréments.

A
Il n'est évidemment pas très heureux face à un imprévu, mais il n'est pas contrarié outre mesure. Il se met immédiatement à la recherche d'une solution adaptée à la situation.

9-B
Puisque, chez le visuel, c'est l'action qui mène à la réflexion, il se doit d'agir (parler, écrire, marcher, etc.) pour mettre sa réflexion en marche s'il veut trouver une solution à son problème.

A
Chez l'auditif, c'est la réflexion qui mène à l'action. Il se doit d'abord de réfléchir à son problème.

l0-A
Un bruit soudain le déconcentre parce que celui-ci lui fait perdre le fil de ses idées. Il ne le reprend pas automatiquement, car il ne sait plus trop où il en était.

B
Un bruit soudain ne le dérange pas trop puisque sa concentration est diffuse. Il reprend facilement le fil de ses idées parce qu'il se rappelle grosso modo où il en était rendu.

11-A
Il privilégie l'information visuelle et il a besoin que son interlocuteur le regarde.

B
Il privilégie l'information auditive et il n'a pas besoin qu'on le regarde quand on lui parle.

12B-
Les mouvements et les paroles des autres mettent sa réflexion en marche et nourrissent son action. Le travail en groupe le stimule beaucoup.

A
Les mouvements et les paroles des autres l'étourdissent assez souvent. Aussi préfère-t-il travailler seul, quitte à demander de l'aide au besoin.

VISUEL	AUDITIF

13-B

Tout ce qui lui est inconnu l'inquiète et le rend nerveux, ce qui provoque chez lui de vives réactions.

A

Il ne perd pas contenance devant l'inconnu. Il essaie de ne pas accorder trop d'importance à ce qui lui arrive et attend de voir comment la situation va évoluer.

14-A

Comme il «regarde» la télévision, il se permet assez souvent de faire des commentaires sans perdre le fil de l'histoire.

B

Comme il «écoute» la télévision, il s'abstient le plus possible de faire des commentaires qui lui feraient perdre le fil de l'histoire.

15-A

Il ne peut se consacrer longtemps à une même tâche : il y met trop de concentration. Il éprouve régulièrement le besoin de changer d'activité pour se reposer.

B

Il a besoin de s'arrêter pour se détendre. Il peut ainsi réfléchir à son aise et mettre de l'ordre dans ses idées avant de reprendre ses activités.

16-B

Son cerveau linéaire a besoin de connaître la façon dont il doit accomplir son travail. Connaître la marche à suivre de A jusqu'à Z, c'est l'affaire du visuel.

A

Son cerveau circulaire aime connaître les objectifs à atteindre. S'il les considère valables, il voudra ensuite connaître la façon de les réaliser.

17-A

Il privilégie l'information visuelle. En général, il se lève pour littéralement aller «voir» la source du bruit.

B

En général, il reste là où il est. Son oreille lui permet de savoir assez facilement d'où provient le bruit et qu'elle en est la nature.

18-A

Pour lui, une image vaut mille mots et un plan, mille explications. Il a fort à parier qu'il se perdra en chemin s'il n'a pas consigné les indications par écrit.

B

Comme son oreille fait l'analyse des sons pour en comprendre le sens, entendre une explication lui suffit généralement pour arriver à destination.

19-B

Il veut faire connaissance avec chacune des personnes pré-

A

Il préfère parler avec une ou deux personnes en particulier.

VISUEL

sentes. La communication harmonieuse avec les autres lui est essentielle. Il souhaite vivement une meilleure communication des hommes entre eux.

20-B
Quand il lit, il y met beaucoup d'intensité, comme en tout autre activité. Son cerveau ne peut supporter longtemps ce genre de pression et sort complètement du texte pour se mettre à vagabonder, une idée lui en ayant suggéré une autre.

21-B
Il prend rapidement une décision et passe immédiatement à l'action. Agir le plus rapidement possible est un impératif pour le cerveau gauche.

22-A
Pour lui, exprimer ce qu'il ressent, c'est se libérer de ses tensions, Aussi a-t-il tendance à parler de ses difficultés à son entourage.

23-A
Il se croit responsable de son échec et se demande ce qu'il a bien pu faire pour en arriver là.

24-B
Pour le visuel, les contenants sont importants et il n'aime pas les détruire. Bien plus, il les réutilise quand c'est possible.

AUDITIF

Aussi, engagera-t-il avec elles de longues conversations qui lui permettront de les connaître plus personnellement, plus intimement. Il souhaite vivement une meilleure communication de l'homme avec son espace environnant.

A
Son attention est bonne mais moins intense que celle du visuel. Il peut donc lire beaucoup plus longtemps que lui sans se déconcentrer, car le rythme de ses ondes cérébrales est moins rapide.

A
Il se donne le temps d'analyser tous les aspects d'une question avant de prendre quelque décision que ce soit. Réfléchir avant d'agir est une nécessité pour le cerveau droit.

B
Parler de ce qu'il ressent lui demande un effort. Il le fera plutôt rarement et seulement à des amis intimes.

B
Il ne se croit pas nécessairement totalement responsable de son échec et il en cherche les causes (chez lui ou chez les autres).

A
Pour l'auditif, le contenu est important. Il considère que la boîte vide a rempli sa fonction et il la brise sans remords pour que celle-ci prenne le moins d'espace possible dans la poubelle.

VISUEL	AUDITIF

25-A
À cause de son mode de raisonnement linéaire et séquentiel, il préfère un programme pré-établi dans tous ses détails.

B
À cause de son mode de raisonnement circulaire, il préfère un plan modifiable selon les circonstances. Les détails l'incommodent, car ils paralysent son action.

26-A
L'action, toujours l'action! Il aime les situations bien concrètes qui le conduiront - soyez sans crainte - à de grandes réflexions abstraites.

B
Il aime bien avoir le temps de réfléchir à une question, d'envisager toutes les hypothèses en s'appuyant sur son expérience avant d'entreprendre quoi que ce soit.

27-B
Il surveille la forme d'un texte (grammaire, syntaxe, vocabulaire) à un point tel qu'il en oublie le fond certaines fois.

A
C'est le fond qui compte pour lui. Il excuse l'auteur qui est malhabile dans le choix de ses mots s'il juge que les idées exprimées sont valables.

28-A
Pour le visuel, c'est en forgeant qu'on devient forgeron. Il préfère se familiariser avec un travail en se mettant résolument à la tâche.

B
L'auditif ne se lance jamais dans l'action tête baissée. Il n'est vraiment à l'aise dans une tâche que s'il en a assimilé toute la théorie.

29-B
Il est à l'aise dans les projets à court terme parce qu'il peut y exprimer rapidement tout son potentiel.

A
Il est à l'aise dans les projets à long terme parce qu'il peut y donner toute sa mesure.

30-A
Il crie et il rie pour se libérer de ses tensions. Quelle belle soupape pour le visuel!

B
Il serre les dents et ne crie surtout pas. Cela risquerait d'exacerber ses tensions.

31-A
«Qu'est-ce que je lui ai fait»? Il se sent souvent coupable en présence d'une personne qui ne lui sourit pas.

B
«Qu'est-ce qu'elle vit aujourd'hui?» Il est perplexe quand une personne ne lui sourit pas, mais il n'a pas tendance à en prendre le blâme.

VISUEL	AUDITIF
32-A Il devient nerveux, développe des tics, ce qui décharge un peu sa tension.	**B** Ralentir lui permet de réfléchir. Il devient moins soucieux et peut mieux évaluer la situation dans son ensemble.
33-B Il parle aussi fort que l'autre pour se faire entendre. D'ailleurs, parler lui fait du bien : il se libère ainsi de ses tensions.	**A** Ou bien il se tait pour éviter la confrontation, ou bien il change de sujet pour faire diversion en se gardant d'élver la voix.
34-B Les personnes à la voix basse et grave le fatiguent à la longue car les écouter lui demande un effort accru de concentration.	**A** Il aime les personnes qui ont une voix grave et basse ; elles n'attirent pas l'attention sur lui et n'en font pas le point de mire de l'assistance.
35-A Il cesse de parler parce qu'il pense qu'il n'est pas écouté.	**B** Il continue de parler comme si de rien n'était parce qu'il n'a pas besoin que l'autre le regarde.
36-B Pas toujours sûr de lui, il a besoin des félicitations de son entourage pour vraiment goûter sa réussite.	**A** Il n'a pas vraiment besoin de l'approbation des autres pour goûter sa réussite car il est capable de s'auto-évaluer avec une certaine objectivité et de se féliciter quand il le mérite.
37-A Une table bien dressée et des mets bien présentés stimulent ses papilles gustatives et aiguisent son appétit.	**B** Il aime voir une table bien mise, mais sans que ça stimule vraiment son appétit. Un bon fumet le fera à coup sûr.
38-A Il a absolument besoin de plaire. Déplaire le rend inquiet, nerveux. S'il pense avoir déplu, il se fendra en quatre pour se racheter et rentrer dans les bonnes grâces de la personne offensée.	**B** Il veut bien plaire, mais s'il lui arrive de déplaire, il n'en fera pas un drame. Il attendra une occasion favorable pour mettre les choses au point.

VISUEL	AUDITIF

39-A

Il éprouve beaucoup de difficulté à respecter cette consigne ; ses mains étant le prolongement de ses yeux, elles l'aident à mieux se familiariser avec les articles en montre.

B

Il éprouve peu de difficulté à respecter cette consigne. Voir sans toucher le satisfait amplement ; car, grâce à son esprit de synthèse, il s'est vite fait une idée sur les articles en montre.

40-A

Comme il appréhende l'univers avec ses yeux, il s'exclamera : «Ah ! que c'est beau !»

B

L'auditif a le nez fin. Si on lui a apporté un bon plat, il sera poussé à le humer et à dire : «Ah ! qu'il sent bon !»

41-B

Toujours pressé (son action précède sa pensée), il commence à reculer avant de vérifier s'il n'y a pas d'obstacles sur son chemin.

A

Guidé par sa prudence naturelle (il pense avant d'agir), il prend le temps de regarder autour de lui avant de commencer à reculer.

42-B

Naturellement, il mettra son véhicule en marche avant de penser à boucher sa ceinture, ce qu'il fait à la première occasion.

A

Toujours réfléchi, il boucle sa ceinture avant de mettre son véhicule en marche. Il veut parer à toute éventualité.

43-A

Comme pour lui, cela est moins important, il verse souvent tout le contenu d'un seul coup avant d'y remettre les choses en ordre une par une.

B

Comme pour lui le contenu est très important, il prend les articles un à un et les classe par catégorie avant de les remettre dans le tiroir.

44-A

La circulation est toujours trop lente à son goût, aussi se permet-il de «tricoter» pour arriver plus vite à destination.

B

Petit train va loin et il suit le flot de la circulation, bon gré mal gré.

45-A

Vivre pour manger ! Voilà un axiome qui lui convient bien. En général, le visuel aime manger à heures fixes et saute difficilement un repas. De plus, les émotions lui creusent l'appétit.

B

Manger pour vivre ! Cet énoncé lui convient bien. S'il avait le choix, il ne mangerait que lorsque l'appétit se fait sentir. Quand il vit des périodes difficiles il perd l'appétit.

INTRODUCTION

Dialogue entre les deux hémisphères du cerveau

Un homme nommé Ananda cherchait quelque chose par terre près d'un réverbère allumé lorsqu'un ami passa par là.

«Qu'as-tu perdu Ananda? demanda-t-il.
— Ma clé, dit Ananda.

Et l'ami s'accroupit à son tour et tous deux se mirent à chercher. Au bout d'un moment, l'ami demanda:
«Où l'as-tu perdue exactement?
— Dans la maison.
— Pourquoi donc cherches-tu ici, Ananda?
— Il y a plus de clarté ici que dans la maison», répondit-il.

Cette anecdote vous fait probablement rire ou hausser les épaules. Comment est-il possible de trouver une clé perdue à l'intérieur d'une maison obscure en la cherchant sur un trottoir éclairé par un réverbère? C'est un non-sens, s'écrie la logique. Si je perds une clé dans la maison, je la cherche dans la maison et si je la perds à l'extérieur, sur le trottoir, je la cherche à l'extérieur, sur le trottoir, c'est sûr. Ouf! ma logique est rassurée et elle est tout heureuse d'avoir remis les choses à l'endroit.

Du même coup, l'hémisphère gauche du cerveau est satisfait de cette interprétation et il cesse de chercher cette clé introuvable (d'après lui). C'est l'hémisphère du cerveau qui est synonyme de clarté et il possède des mécanismes de pensée que nous connaissons dans un sens formel. Nous pouvons les articuler.

De l'autre côté, l'hémisphère droit du cerveau est associé à l'obscurité avec des mécanismes de pensée qui semblent étranges certaines fois (tout au moins aux yeux de l'hémisphère gauche).

J'ai publié en 1980 un premier livre sur la réflexologie intitulé: *Découvrons la réflexologie* et un deuxième en 1985 ayant pour titre *Énergie et réflexologie* où les notions de réflexologie des pieds et des mains ont été abordées ainsi que les notions fondamentales en polarité.

J'ai été amenée à rédiger ce troisième livre par une question simple (en apparence) posée par une personne qui assistait à un de mes ateliers de réflexologie: «Comment est-il possible de pratiquer la réflexologie sur la tête tout en respectant la polarité de chacun des deux hémisphères du cerveau?»

Je n'ai pas trouvé de réponse adéquate, car je venais de prendre conscience que mon esprit était dans l'obscurité plutôt que dans la clarté en ce qui concerne les hémisphères cérébraux et la réflexologie de la tête.

Bien sûr, je possédais des notions élémentaires d'anatomie et de physiologie du cerveau apprises à l'école. J'avais aussi pris plaisir, il y a quelques années, à étudier le cerveau et le système nerveux dans le livre d'anatomie de Wynn Kapit et Lawrence M. Elson.[1]

Cependant, ces connaissances intellectuelles acquises (hémisphère gauche) ne m'étaient presque d'aucune utilité dans ma vie quotidienne.

---

(1)   Wynn, Kapit et Lawrence M. Elson, «L'anatomie à colorier», 1983.

Il est très réconfortant pour le cerveau gauche de connaître certains termes comme: métencéphale (cerveau postérieur) ou télencéphale (cerveau antérieur); mais comment réussir à quitter le royaume du cerveau gauche pour entrer dans celui du cerveau droit? Comment utiliser ces notions pour entrer vraiment en communication avec les gens et les choses?

Cherchez et vous trouverez! Frappez et l'on vous ouvrira! Demandez et vous recevrez! Je me suis mise à faire des recherches et en lisant un livre de Betty Edwards[1] j'ai tout à coup senti mon énergie passer de l'hémisphère gauche à l'hémisphère droit et je me suis découvert un talent inconnu: celui de savoir dessiner. Je venais de quitter la zone éclairée par le réverbère (cerveau gauche) pour rentrer dans la maison obscure (cerveau droit) où se trouvait la clé d'un monde plein de promesses et de richesses fabuleuses.

Je ne fus pas étonnée outre mesure d'avoir vécu cette expérience en apparence surprenante. La réalité m'en sembla tellement évidente, tellement simple, que j'eus l'impression de l'avoir toujours connue, et pourtant quelques minutes auparavant je ne pouvais dessiner quoi que ce soit. Depuis toujours, (involontairement bien sûr), je m'étais amputée de cette possibilité de dessiner.

Cette découverte soudaine m'encouragea à continuer mes recherches et ma réflexion. Je fus grandement aidée par les recueils de notes sur les deux hémisphères du cerveau publiés par un professeur du Cégep du vieux Montréal: M. Ivon Robert et également par les livres sur les auditifs et les visuels écrits par le Dr Raymond Lafontaine.

Comment une chose évidente peut-elle nous apparaître parfois comme une révélation? Une chose est certaine,

---

[1]   Edwards, Betty, «Drawing with the Right Side of the Brain», JP Tarcher, inc, Los Angeles, 1979.

nous ne «savons» pas ce que nous «savons» ou, plus exactement, notre hémisphère gauche ne peut énoncer explicitement ce que notre hémisphère droit sait implicitement. Le premier a un mécanisme de pensée linéaire, séquentiel, analytique que nous connaissons bien (zone de clarté) et le second possède un mécanisme de pensée holistique, relationnel et systémique que nous connaissons très peu (zone obscure).

Il y a une «révélation» quand le cerveau droit communique son savoir au cerveau gauche.

Il nous faut connaître notre hémisphère dominant, car il nous faut en sortir pour aller puiser à volonté dans les richesses fabuleuses de l'autre hémisphère que nous avons tendance à sous-utiliser.

Pour trouver une réponse satisfaisante à ces questions, je vous invite à suivre étape par étape la démarche proposée dans ce livre (procédé linéaire du cerveau gauche) et à vivre chaque étape en la ressentant, en la goûtant dans tout votre corps (procédé circulaire du cerveau droit). Pour y arriver, une respiration lente et profonde vous sera d'un précieux secours.

Nous verrons dans les premiers chapitres quelques notions d'anatomie du cerveau, quels sont les rôles respectifs de chacun des deux hémisphères et comment nous pouvons déterminer notre hémisphère dominant. Nous étudierons ensuite les conséquences que cette dominance peut avoir sur le comportement de chacun d'entre nous. Tout être humain, même le plus équilibré, a une dominance cérébrale et il est très intéressant, voire essentiel, de la connaître afin de comprendre notre propre comportement et celui des autres et particulièrement de ceux qui n'ont pas le même hémisphère dominant que nous.

Les chapitres suivants nous indiqueront comment voyager à volonté d'un hémisphère à l'autre. Lorsque ce voyage s'effectue harmonieusement, nous pouvons mieux faire l'apprentissage de la vie sous tous ses aspects.

Le fait que chacun d'entre nous avait une dominance cérébrale m'a amenée à penser que les techniques de réflexologie seraient plus efficaces si elles étaient adaptées au profil de chacun d'entre nous. Grâce à l'heureux mariage de ma raison et de mon intuition, j'ai élaboré une réflexologie inédite qui répondait à ces critères. Je vous la présente dans les derniers chapitres sous quatre aspects principaux:

1- L'harmonisation des méridiens:

L'harmonisation des méridiens permet d'éliminer les phobies et d'équilibrer les émotions. La région du cerveau qui coordonne les activités émotives (système limbique) a un pouvoir énorme sur le bon fonctionnement des hémisphères cérébraux. Grâce à la technique que je vous propose, ceux qui sont affligés de phobies depuis 20, 30, voire même 50 ans, peuvent s'en débarrasser une fois pour toutes avec une facilité déconcertante et une rapidité étonnante (trois minutes). Après avoir expérimenté la technique de correction des phobies, vous serez convaincu de son efficacité souvent spectaculaire. De plus, elle a l'avantage d'être rapide, indolore et d'avoir des effets durables.

2- La respiration des couleurs et la respiration des sons:

La respiration des couleurs et la respiration des sons sont deux techniques jumelles tout aussi efficaces l'une que l'autre, mais conçues pour des groupes de personnes différents. La respiration des couleurs agit mieux si on a le cerveau gauche dominant, autrement dit si on est visuel, et la respiration des sons agit mieux si on a le cerveau droit dominant, autrement dit si on est auditif.

L'effet de ces techniques est très rapide. Il faut donc les utiliser avec toute l'attention et tout le respect qu'elles méritent, sinon elles pourraient donner des résultats contraires à ceux escomptés. Employées avec discernement, elles vous donneront des résultats bénéfiques qui dépasseront souvent vos espérances.

Elles ont de plus un avantage non négligeable, vous n'avez même pas besoin d'y croire pour qu'elles agissent efficacement. Vous n'avez qu'à en suivre consciencieusement les différentes étapes d'application. Et n'oubliez surtout pas de *bien respirer*. C'est la clé de leur succès.

3- **La réflexologie de l'oreille:**

Comme vous le savez, l'auriculothérapie existe depuis un certain nombre d'années et la cartographie des points de l'oreille a déjà été élaborée par d'éminents auriculothérapeutes. Cependant, j'ai amélioré cette technique en tenant compte de la dominance cérébrale. De ce fait, son utilisation est facilitée et son efficacité, décuplée.

> **Ce livre a surtout pour but de permettre à chacun d'avoir des relations plus harmonieuses avec lui-même et avec les autres parce que ses deux hémisphères pourront entretenir des dialogues riches, sains et heureux.**

CHAPITRE I

Les trois ordinateurs biologiques

Il est tout de même curieux, dit Henri Laborit[1],qu'on demande un permis pour conduire une automobile et qu'on ne demande pas de permis pour conduire son cerveau qui est une machine beaucoup plus compliquée mais qui répond à des lois relativement simples. La connaissance de son fonctionnement permet une action plus efficace sur son environnement.

Selon M. P.D. MacLean[2], le cerveau est une association de trois ordinateurs biologiques, chacun ayant sa propre intelligence, son propre sens du temps, son propre sens de l'espace, sa propre mémoire, ses propres fonctions motrices et actives. Ces ordinateurs biologiques sont les suivants: le complexe reptilien, le système limbique et le néo-cortex.

---

(1)   Laborit Henri, interview TF1, 1982.

(2)   MacLean, P.D. The Triune Brain: Emotion and Scientific Bias in F.O. Schmitt (ed.) The Neuroscience, Second Study Program, New York; Rockfeller University Press, 1970.

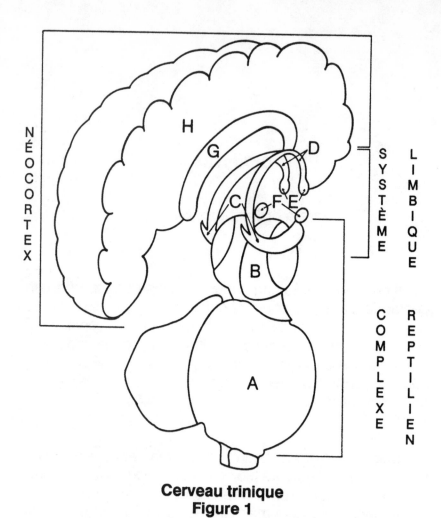

Cerveau trinique
Figure 1

A. Cervelet
B. Tronc cérébral
C. Circonvolution et noyau
   de l'hippocampe
D. Septum

E. Tubercules mamillaires
F. Noyaux amygdaliens
G. Corps calleux

H. Hémisphère gauche

LE COMPLEXE REPTILIEN

Le complexe reptilien comprend le cervelet, le bulbe rachidien, la protubérance annulaire, le mésencéphale (ces trois derniers formant le tronc cérébral, aussi appelé système réticulaire), le diencéphale (épiphyse, hypophyse, thalamus, hypothalamus et les nerfs optiques).

C'est le cerveau le plus primitif puisqu'il existe déjà chez les reptiles; c'est la voix du corps dans le cerveau. Le complexe reptilien est le siège:

1 - De la régulation des fonctions vitales: fréquence cardiaque, pression artérielle, circulation du sang dans les vaisseaux, rythmicité respiratoire, calibre des bronches, fonction digestive, température interne, système éveil — sommeil — rêve, régulation des glandes endocrines (fonctions assurées par le tronc cérébral).

2 - D'automatismes innés: faim, soif, instinct de survie, activité sexuelle, fécondité, lactation, etc. (fonctions assurées par le tronc cérébral).

3 - De la concentration de l'attention de façon sélective et du filtrage sélectif des messages sensoriels allant au cerveau (fonctions assurées par le tronc cérébral).

4 - De la totalité de la coordination de l'activité musculaire: équilibration et sens de la position, contrôle du tonus musculaire (fonctions assurées par le cervelet).

5 - Supposé d'un certain nombre de comportements génétiquement acquis: imitation, recherche d'un habitat, sens du territoire (établissement et défense), chasse, accouplement et établissement d'une hiérarchie sociale, rituels et comportements répétitifs.

6 - De la motivation et de l'*instinct* à cause du contrôle exercé par l'hypothalamus et l'hypophyse sur les sensations de plaisir et de douleur et sur les réactions de stress et de peur.

7 - De la convergence de toutes les informations sensorielles et sensitives. Il les regroupe et les trie selon les aires du cortex spécialisées dans l'analyse de chaque type d'information (aire visuelle, aire auditive, etc.), (fonctions assurées par le thalamus).

C'est un ordinateur central tenu au courant de l'état de l'organisme à tout instant; il transmet, si nécessaire, ces informations aux autres cerveaux. C'est vraiment la voix du corps dans le cerveau, celui qui fait valoir les arguments biologiques dans le choix de l'action.

Structure du complexe reptilien
Figure 2

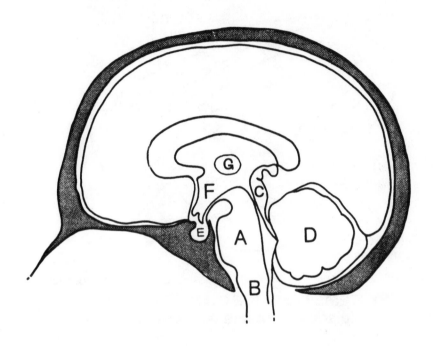

A. Protubérance annulaire
B. Bulbe rachidien
C. Mésencéphale
D. Cervelet
E. Hypophyse
F. Hypothalamus
G. Thalamus

A + B + C: Tronc cérébral ou système réticulaire

Structure du système limbique
Figure 3

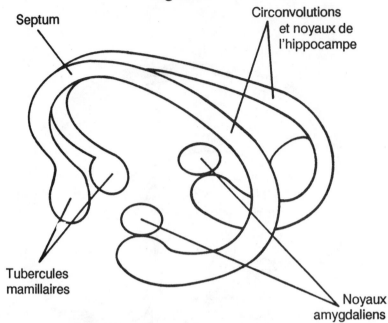

SYSTÈME LIMBIQUE OU MAMMALIEN
(plaque tournante du cerveau)

Il pèse environ 300 grammes et se développe progressivement chez les mammifères. Il coiffe littéralement le cerveau reptilien. Ce système est relié à l'hypothalamus et au cortex et il est branché en dérivation sur toutes les afférences sensitives et sensorielles. Il comprend le septum et la région septale, les noyaux amygdaliens, les tubercules mamillaires, les circonvolutions et les noyaux de l'hippocampe. Il a deux fonctions capitales:

1- *C'est un sélecteur:*
    À partir des besoins de l'organisme, il sélectionne dans l'environnement ce qui est apte à le satisfaire.

Le cerveau limbique est responsable de la sélection et de la mise en archives des faits. Exemple: Je suis dehors au soleil. J'ai chaud et j'ai soif. Sur une table, il y a des arachides, des dattes et de l'eau. Machinalement, je prends d'abord l'eau et ce, selon deux modalités:

— La technique analytique qui mène à l'acquisition par conditionnement de réponses spécifiques (ex.: 4 fois 6 égalent 24). Cette technique est propre au cerveau gauche.

— La technique systémique qui consiste à percevoir intuitivement les relations et l'organisation des informations et à les schématiser.

Après de nombreuses expériences, le système limbique me permet non seulement de savoir que je dois choisir un liquide pour étancher ma soif, mais surtout quel liquide je dois choisir. Ici, c'est de l'eau, ça va; mais si cela avait été du whisky qui m'a déjà rendu malade il y a de nombreuses années, il m'aurait probablement averti dès la première gorgée.

2- *C'est une mémoire:*

Sa capacité d'enregistrement est égale à la force de l'émotion ou de la sensation ressentie au moment où l'expérience a été vécue. Ex.: Je me rappellerai difficilement ce que j'ai fait il y a une semaine si les gestes posés s'inscrivaient dans le quotidien; cependant, je me rappellerai avec acuité une sortie très agréable faite avec mon ami(e) il y a de cela plusieurs mois.

Les critères de sélection et de mémorisation sont différents pour les hémisphères gauche et droit du cerveau. Le premier est fortement motivé par ses émotions et le second, par ses sensations.

Il faut en conclure que le cerveau limbique intervient à tous les stades du traitement de l'information.

- —*Sélection* de l'information que nous donne un esprit critique;
- —*Réflexion* sur cette information;
- —*Motivation* pour passer à l'action;
- —*Mémorisation* des résultats sous forme de réussite ou d'échec: cette expérience est à renouveler ou, au contraire, à éviter la prochaine fois.

Cependant, le cerveau limbique est tributaire de l'interprétation de l'événement faite par le néo-cortex.

LE NÉO-CORTEX

C'est le cerveau dernier-né au cours de l'évolution. Il occupe 85% du volume de notre cerveau et se compose de plus de 10 milliards de neurones, chacun étant articulé plus de 100 000 fois avec les autres. Il pèse 11 à 1200 cents grammes.

Le néo-cortex a deux fonctions importantes:

1- *La mémorisation:*
   L'expérience vécue sélectionnée par le cerveau limbique et emmagasinée sous forme biochimique dans les neurones du néo-cortex.

2- *La réflexion et le raisonnement:*
   La réflexion est possible grâce aux connexions des neurones entre eux, connexions qui permettent d'associer les faits stockés en mémoire.

Le néo-cortex est réparti en deux hémisphères, le droit et le gauche. Chez les mammifères, ces deux hémisphères fonctionnent ensemble de la même façon. Le néo-cortex permet à ces animaux d'avoir une certaine vie sociale; ils peuvent communiquer par signaux visuels ou par cris, s'avertir de la présence d'un danger, d'un point d'eau, de nourriture.

Chez l'homme, les deux hémisphères ont acquis des fonctions différentes et complémentaires. Chaque hémisphère possède son propre langage, sa propre mémoire, sa propre coloration émotionnelle ou sensorielle des faits.

L'hémisphère gauche est analytique; il est spécialisé dans des fonctions complexes: lire, parler, compter, réfléchir, analyser les détails, établir des relations de cause à effet. C'est donc celui qui gouverne la pensée logique et abstraite. Il contrôle le côté droit du corps.

L'hémisphère droit est systémique; c'est celui qui permet de reconnaître globalement une situation, de la percevoir dans son ensemble et de lui attribuer une charge émotive ou sensorielle. Il gouverne la pensée concrète et la représentation réelle des faits. Il contrôle le côté gauche du corps.

Ces deux hémisphères d'égale importance sont complémentaires. Ils sont réunis par le corps calleux qui permet à chacun de communiquer à l'autre son information.

Chaque pièce de ce prodigieux assemblage apporte des possibilités nouvelles au service d'un même impératif vital de base: s'adapter, c'est-à-dire agir pour faire face aux dangers de notre environnement, agir pour améliorer sans cesse nos conditions de vie, satisfaire nos besoins et tirer profit des événements.

Une rencontre amicale:

Exemple 1: Je rencontre un(e) ami(e), mon cerveau droit me permet de deviner son état d'esprit: est-il(elle) de bonne humeur ou non, gai(e) ou triste, etc., ce qui m'indique la façon de l'aborder et de l'écouter. Mon cerveau gauche détaillera son aspect extérieur (coiffure, couleur des vêtements, bijoux, etc.) et me permettra de converser aisément avec lui(elle).

La goutte qui fait déborder le vase:

Exemple 2: Pierre arrive en retard au bureau. Le patron regarde sa montre et lui fait remarquer qu'il est 9h22 (cerveau gauche).

«Pourquoi êtes-vous en retard ce matin?
— J'ai eu une crevaison.
— La cinquième cette année! Sans compter les enterrements, les visites chez le médecin, chez le dentiste. 12 retards en tout cette année. C'est beaucoup! (cerveau gauche).
— Qu'est-ce que vous voulez? Ce n'est pas de ma faute. Je n'y peux rien si mon auto a eu des crevaisons, s'il y a eu des mortalités dans ma famille et si j'ai dû aller chez le médecin et le dentiste!»

Le directeur furieux le foudroie du regard et lui dit:

«Tu n'auras pas ta prochaine augmentation de salaire... Si tu n'es pas content, la porte est grande ouverte.»

Que s'est-il passé dans le cerveau du patron? Le patron a emmagasiné dans sa mémoire les nombreux retards de Pierre. Ce n'est pas la première fois (cerveau droit) ça fait même 12 fois (cerveau gauche). De plus, il exerce une mauvaise influence sur les autres employés (cerveau droit) et cela entraîne des pertes financières pour la compagnie (cerveau gauche). Les excuses peu valables de Pierre provoquent la colère du patron (cerveau gauche); la situation a assez duré (cerveau droit); il faut agir (cerveau gauche).

Cette action va provoquer deux réactions:

1- *Une dans l'organisme du patron:*
   accroissement du rythme cardiaque, accélération du rythme respiratoire, constriction de l'estomac.

2- *Une dans l'environnement:*
   pas d'augmentation de salaire pour Pierre.

Le système limbique enregistrera et mémorisera à long terme les résultats de cette action à cause de sa charge émotionnelle (positive et négative).

Ultérieurement, il pourra les utiliser pour que ce genre de situation ne se reproduise pas. (La prochaine fois, j'agirai bien avant qu'un employé arrive 12 fois en retard!).

Schéma illustrant le fonctionnement du cerveau
Figure 4

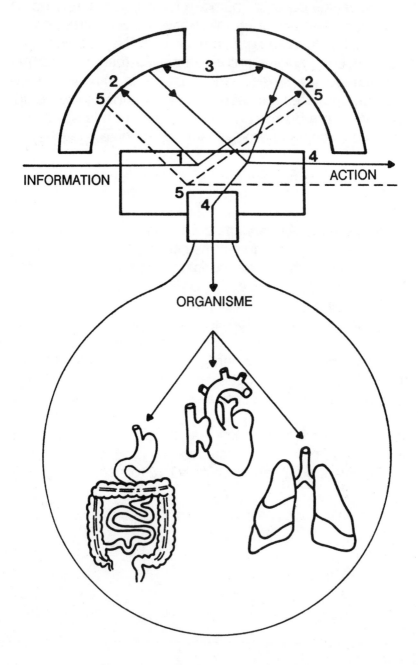

INFORMATION

ACTION

ORGANISME

En résumé, l'information:

— entre dans le système limbique (1) qui l'achemine vers les hémisphères droit et gauche (2);

— effectue un va-et-vient d'un hémisphère à l'autre grâce au corps calleux (3); débouche sur une action si la charge émotionnelle est suffisante (4);

— provoque des réactions dans l'organisme (4);

— est mémorisée par le système limbique (5).

À la lumière de ce qui précède, force nous est donc de constater qu'il doit y avoir une communication continuelle entre les hémisphères gauche et droit du cerveau si on veut prendre une décision adaptée aux circonstances. On peut même ajouter avec certitude que mieux chacun des deux hémisphères jouera son rôle, plus on pourra espérer avoir une pensée juste, une parole juste et une action juste.

RETENONS BIEN QUE:

Nous possédons trois ordinateurs biologiques:

1. Le complexe reptilien. Il intègre les données d'ordre physiologique.

2. Le système limbique. Il intègre les données d'ordre émotif.

3. Le néo-cortex. Il intègre les données d'ordre intellectuel.

CHAPITRE II

Fonctions des hémisphères gauche et droit du cerveau

Avant de connaître plus en détails les fonctions respectives des hémisphères gauche et droit du cerveau, nous croyons utile de vous donner quelques chiffres intéressants sur le cerveau humain.

Le premier vertébré pourvu d'un cerveau est apparu il y a environ 450 millions d'années. L'âge véritable du cerveau humain couvre environ le 1/10 des temps biologiques, soit 45 millions d'années:

- Poids: 1500 grammes (3 livres environ), c'est-à-dire 2% du poids total du corps.

- Épaisseur du cortex: 3 à 4 milimètres.

- Cordon médullaire: 40 à 45 centimètres de long.

- Consommation d'oxygène: 20% de la consommation totale (50% chez l'enfant).

- 1/5 du sang traverse le cerveau, c'est-à-dire 800 millilitres (près d'un litre) / minute.

Les neurones dépendent presqu'à 100% des ressources énergétiques fournies par le glucose sanguin. Les réserves sucrées sont fort modestes: deux grammes environ de glycogène.

D'une façon générale, le cerveau consomme 50 millilitres d'oxygène en une minute, c'est-à-dire près du cinquième de la consommation totale du corps dans ce même temps.

- Capacité de dix milliards de K (1024 bits), c'est-à-dire l'équivalent de 10 000 encyclopédies.

- 10 000 millions (10^{10}) de neurones dans le cortex (certains prétendent qu'il y en a cent fois plus).

- Chaque cellule est en contact avec 600 autres cellules, au total 10^7 synapses[1] ou 1014 contacts synaptiques, pour certains.

- L'énergie qui s'en dégage est équivalente à l'énergie d'une ampoule de 25 watts.

Comme nous l'avons déjà vu, le cerveau gauche est *analytique*: il va de la partie vers le tout. Il s'attarde d'abord aux détails pour ensuite remonter vers le tout. Le cerveau droit est au contraire *systémique*: il va du tout vers la partie. Il voit d'abord l'ensemble pour ensuite en identifier les détails.

Cette différence entre les deux hémisphères est *fondamentale*. L'approche analytique propose une vision statique de la vie et est le support de la pensée connaissante, tandis

(1) Synapse: point de contact entre deux neurones.

que l'approche systémique en propose une vision dynamique et est le support de la pensée inventive. L'un et l'autre s'unissent pour donner naissance à des réalisations harmonieuses. Ces deux approches complémentaires du cerveau humain sont nécessaires pour vivre une vie équilibrée. Il est donc très important d'en utiliser à fond les ressources, les attributs de l'un étant aussi importants que les attributs de l'autres. Découvrons-les ensemble.[1]

Cerveau Gauche Approche Analytique	**Cerveau Droit** Approche Systémique
I. Caractéristiques	
• isole les éléments, les sépare	• relie les éléments entre eux, les unit
• objet: la nature des interactions entre les éléments	• objet: les effets dans le temps des interactions entre les éléments
• action sur une variable à la fois	• action sur plusieurs variables à la fois
II. Buts	
• théorie détaillée difficilement utilisable dans l'action	• modèle non rigoureux efficace dans l'action

(1) Tableau inspiré de: Robert Ivon, La pédagogie des visuel(les) et des auditif(ves), Éditions Ivon Robert, Montréal, 1982 et de De Rosnay, Joël, Le macroscope, Seuil, Paris, 1975.

- action programmée dans le détail
- action par objectifs

- connaissance des moyens, le comment
- connaissance des buts, le pourquoi

- support de la pensée connaissante
- support de la pensée inventive

III. Mode de validation

- méthode expérimentale: domaine de l'abstrait
- comparaison avec le fonctionnement réel: domaine du concret

Le cerveau gauche (analytique) décompose un ensemble en ses éléments essentiels pour saisir la nature des rapports et des interactions.

Pour ce faire, il passe en revue chaque élément et retient ceux qui lui semblent importants. Il peut ainsi exercer sur chacun d'eux une action et les modifier au besoin. Cette tendance du cerveau gauche à mettre en évidence des détails ayant pour lui une certaine charge émotive lui fait souvent perdre son objectivité et le coupe en partie de la réalité.

De plus, ce souci du détail le pousse à élaborer des plans très précis. Ils sont généralement difficiles à appliquer parce qu'ils proposent un modèle d'action figé qui ne résiste pas aux conditions changeantes de la vie.

Cerveau de l'action, il ne se demande pas d'abord quelles sont les raisons qui le poussent vers un but, mais comment y arriver. À cette fin, il expérimente ses hypothèses de travail jusqu'à ce qu'il ait obtenu les résultats désirés. Il procède donc par essais et erreurs en vérifiant ses théories (domaine de l'abstrait) dans le quotidien (domaine du concret). C'est le praticien de la théorie.

Le cerveau droit (systémique) a une vue globale des choses. Il relie les événements entre eux et étudie les effets de leurs interactions. Il peut agir sur un groupe de variables en même temps pour atteindre son objectif. Si ce dernier est à long terme, il en démordra difficilement. Dans ce cas, on peut parler d'irréversabilité.

Comme le cerveau droit perçoit une question dans son ensemble, il élabore un plan dans ses grandes lignes après s'être fixé des buts très précis. Ce plan est donc souple et peut s'adapter à tous les genres de situation. Cependant, il compare le modèle d'action avec la réalité avant de le mettre en application. Il s'appuie donc sur du vécu (domaine du concret) pour aller vers l'inconnu (domaine de l'abstrait). C'est le théoricien de la pratique.

En résumé, le cerveau gauche gère les projets à court terme, isole les éléments, élabore des plans détaillés (le comment) et va de l'abstrait au concret. Au contraire, le cerveau droit gère les plans à long terme, a une vue d'ensemble des choses, se fixe des objectifs précis (le pourquoi) et va du concret vers l'abstrait.

FONCTIONS DES HÉMISPHÈRES CÉRÉBRAUX

Hémisphère gauche **Hémisphère droit**

LANGAGE

Pensée abstraite (savoir) **Pensée concrète** (vécu)

- pensée logique
- concepts, mots, nombres
- parole
- perception analytique

- imagerie mentale[1]
- images analogiques
- musique
- perception systémique

MÉMOIRE

Mémoire verbale **Mémoire des phéno-mènes individuels**

- concepts
- savoir encyclopédique

- images et symboles
- sensations

TONUS ÉMOTIONNEL

Extraversion **Introversion**

- optimisme
- sociabilité
- gaieté

- sagesse
- réserve
- sérieux

---

[1] Imagerie mentale: ensemble d'images provenant d'une même expérience.

COMPÉTENCE

Jugement

- raisonnement (à partir des connaissances acquises)

- langues (grammaire, syntaxe, sémantique, phonétique)

- sciences exactes (mathématiques, informatique, etc.)

Formation de concepts

- réflexion (alimentée par les faits vécus)

- arts en général (musique, peinture, sculpture, etc.)

- sciences humaines (psychologie, sciences sociales, etc.)

COMMUNICATION

- Analytique

- Systémique

PROCESSUS D'IDENTIFICATION

Secondaire (temporel)

- assemblage d'une quantité plus ou moins grande des morceaux d'un casse-tête pour avoir une idée d'ensemble

Primaire (intemporel)

- identification immédiate d'une totalité à partir de l'un de ses éléments essentiels

MODE DE PERCEPTION

- Perception graduelle des éléments d'une structure spatiale complexe

- Perception globale des structures spatiales complexes

Comme on le constate à la lecture de ce tableau, chaque hémisphère possède un langage, une mémoire, un tonus émotionnel, un champ de compétence, une façon de communiquer, un processus d'identification et un mode de perception qui lui sont propres. Il est très important de réaliser une fois de plus qu'ils ne s'opposent pas, mais se complètent harmonieusement. Pour les utiliser efficacement et sans effort, il importe d'en connaître les fonctions, ce qui favorisera grandement la réalisation de vos objectifs.

Le cerveau gauche est celui de la pensée abstraite, Il sépare et isole les éléments d'un ensemble et les analyse de façon séquentielle, linéaire. Il peut en exprimer aisément le concept grâce à sa pensée logique. C'est un beau parleur à l'élocution facile. Il a une mémoire verbale (celle des mots et des nombres) et encyclopédique (celle des connaissances acquises). Ce sont ces connaissances acquises qui alimentent son raisonnement.

Très à l'aise dans le monde de l'intellect, il l'est beaucoup moins quand il s'agit de faire face à la réalité. L'individu dont le cerveau gauche est dominant a besoin d'être rassuré, de se sentir aimé, d'où son extraversion. Elle se manifeste par de la gaieté, de l'optimisme et beaucoup de sociabilité.

Sur le plan de l'abstrait, il est logique et a un jugement sûr et un raisonnement juste. Aussi est-il particulièrement doué pour l'étude des langues et des sciences exactes.

Comme il a besoin d'analyser, il lui faut du temps pour avoir une vue d'ensemble d'une structure spatiale complexe. C'est pourquoi ce cerveau est dit «temporel».

Le cerveau droit est celui de la pensée concrète. Il appuie sa pensée sur du vécu et utilise un ensemble d'images provenant d'une même expérience. Il procède par analogie, par association d'idées. Sa perception est dite systémique.

Pour s'exprimer, il utilise un langage imagé, un ton monocorde. En général, il cherche ses mots. Il exprime sa forme de communication par les arts (musique, peinture, etc.) pour lesquels il est particulièrement doué.

Concerné par le concret, il a la mémoire des faits vécus, des phénomènes individuels. Son univers est fait d'images, de symboles et de sensations associées au réel. C'est pourquoi il ne sent pas le besoin de s'extérioriser, mais au contraire de s'intérioriser. C'est le cerveau de l'introversion, de la réflexion et de l'intention.

Son approche est systémique, ce qui lui permet d'avoir une perception globale des structures spatiales complexes, d'identifier de façon pratiquement instantanée une totalité à partir de l'un de ses éléments essentiels. C'est pourquoi ce cerveau est dit «intemporel».

CARACTÉRISTIQUES COGNITIVES ET NEUROPHYSIOLOGIQUES D'UN INDIVIDU AYANT LE CERVEAU GAUCHE OU LE CERVEAU DROIT DOMINANT

Plan cognitif

Cerveau gauche dominant

1. sous-inclusif
2. fragmenté
3. pensée linéaire
4. esprit alerte
   (ondes bêta)
5. attention intensive
6. attention sélective très étroite et spécifique
7. fort contrôle de l'attention

Cerveau droit dominant

1. sur-inclusif
2. complexe
3. pensée circulaire
4. esprit paisible
   (ondes alpha)
5. attention extensive
6. attention sélective large et diffuse
7. faible contrôle de l'attention

Plan neurophysiologique

Cerveau gauche dominant

1. système nerveux faible
2. faible inhibition réactionnelle se développant lentement et se dissolvant rapidement

Cerveau droit dominant

1. système nerveux fort
2. forte inhibition réactionnelle se développant rapidement et se dissolvant lentement

3. haute modulation d'éveil	3. basse modulation d'éveil
4. haute excitabilité corticale	4. basse excitabilité corticale
5. amplificateur de stimuli	5. réducteur de stimuli
6. déficit amygdalien	6. déficit de l'hippo-campe
7. dominance de l'hippo-campe	7. dominance de l'amygdale
8. basse amplitude alpha	8. haute amplitude alpha (activité céré-brale lente).

Celui dont l'hémisphère gauche est dominant a une forme de pensée abstraite puisqu'elle s'appuie sur des connaissances acquises. Son processus de pensée est dit «concret» puisqu'il est alimenté par l'action. Le cerveau gauche doit expérimenter chaque point de ses théories pour en vérifier la justesse. C'est le cerveau sous-inclusif qui passe attentivement en revue chacun des éléments d'un ensemble. Son attention sélective est étroite et spécifique puisqu'intensive.

Au niveau neurophysiologique, il possède, en apparence, un système nerveux faible. Il a peu d'inhibition. Il réagit vivement devant des émotions fortes, mais passe rapidement à autre chose. Il joue le rôle d'amplificateur. Il intensifie l'impact des stimuli. Il doit non seulement les absorber, mais aussi prendre toute la charge émotive qui les accompagne, ce qui lui procure une haute excitabilité corticale.Il a beaucoup de difficultés à se détendre et ses ondes alpha ont une amplitude assez basse.

Celui dont l'hémisphère droit est dominant a une forme de pensée concrète puisqu'elle s'appuie sur des faits vécus. Son processus de pensée est dit «abstrait» ou extra-cognitif puisqu'il se base surtout sur l'intuition. Cette façon non-conformiste de penser a conduit à des découvertes importantes dans tous les domaines de l'activité humaine. Il mûrit ses projets et met un certain temps avant de passer à l'action. Il absorbe à la fois une très grande quantité de données qu'il intègre graduellement, ce qui lui permet d'envisager des questions très complexes. Il a un esprit calme puisque son attention ne se fixe pas sur un point en particulier, mais sur l'ensemble de la situation. Son attention sélective est large et diffuse puisqu'extensive.

Au niveau neurophysiologique, il possède en apparence un système nerveux fort parce qu'il a une grande capacité d'inhibition. Il s'adapte rapidement à tous les genres de situations pour les assimiler ensuite lentement. Il joue un rôle d'amortisseur: il réduit l'impact des stimuli et permet à l'organisme de les absorber en douceur, ce qui lui donne une basse excitabilité corticale. Il est capable de se détendre et de ralentir son activité cérébrale grâce à la haute amplitude de ses ondes alpha (ondes de détente).

FONCTIONS DES HÉMISPHÈRES CÉRÉBRAUX

Caractéristiques générales

Hémisphère gauche	Hémisphère droit
1. penseur	1. artiste
2. pensée logique et abstraction	2. pensée concrète et formation des images
3. sens des mots	3. intonations de la voix
4. forme et perception des mots	4. perception des images

5. concepts	5. objets
6. perception analytique	6. perception globale
7. optimisme	7. pessimisme
8. mémoire verbale	8. mémoire des phéno-mènes individuels et des objets
9. sciences exactes	9. arts
10. forme complexe de mode de perception et d'activité	10. forme simple de mode de perception et d'activité

Le cerveau gauche est celui du penseur qui s'appuie sur la logique pour élaborer ses concepts. Il a une forme complexe de mode de perception et d'activité parce qu'il a besoin d'analyser à fond ses hypothèses et de vérifier concrètement chaque étape de son raisonnement, ce qui lui donne beaucoup d'aptitude pour les sciences exactes. À cause de son besoin de précision, il attache beaucoup d'importance au sens et à la forme écrite des mots (l'attente, latente, la tante, la tente) pour leur donner leur véritable signification, ce qui lui permet, à long terme, de se rappeler les mots qu'il a appris.

Le cerveau gauche prend les choses et les faits un à un. S'il fait face à un événement heureux ou malheureux, il sera incapable de les placer dans un contexte plus général. Il aura sur le coup de vives réactions. Cependant, une fois l'onde de choc passée, il colorera cet événement d'une signification différente. Pour lui, l'événement malheureux est un fait isolé qui a peu de chance de se reproduire et l'événement heureux une expérience agréable susceptible de se répéter. C'est le cerveau de l'optimisme, des pensées positives. Il est surnommé «l'hémisphère gai».

Le cerveau droit est celui de l'artiste. Il régit l'intuition qui préside à toutes formes de création. Il procède par analogie. Il peut, grâce à son imagination, établir des ressemblances entre des objets de nature essentiellement différente, ce qui lui rend possible la perception, la formation et la création de nouvelles images.[1]

Il élabore sa pensée à partir de faits concrets envisagés de façon objective. Il emmagasine dans sa mémoire tout ce que sa conscience enregistre (phénomèmes individuels), tout ce qui fait l'objet de sa pensée. Comme il fait porter son attention sur un ensemble d'événements ou sur un grand nombre d'éléments d'un ensemble, il a une perception globale des choses.

Cette façon systémique d'envisager la vie le pousse, sur le moment, à atténuer l'impact des événements heureux ou malheureux. Cependant, à la longue, ils auront de profonds effets. Il aura tendance à croire qu'un événement malheureux a de fortes chances de se reproduire et qu'un événement heureux est trop beau pour durer, pour se répéter. C'est le cerveau du pessimisme, des pensées négatives. Il est surnommé «l'hémisphère triste».

Il a une connaissance immédiate et approximative du monde qui l'entoure et il ne sent pas le besoin de mettre cette connaissance à l'épreuve. En ce sens, on peut dire que ses modes de perception et d'activité sont simples.

Si le cerveau gauche est le maître des mots, le cerveau droit est celui des sons. Il les identifie rapidement et facilement. D'instinct, il donne aux intonations de la voix leur sens réel en les plaçant dans leur véritable contexte. Il reconnaît aisément l'air d'une chanson et celui chez qui il est dominant aime fredonner.

---

(1)	Dans ce contexte, le mot image ne se définit pas comme la reproduction exacte d'un être ou d'une chose, mais comme la représentation mentale d'une perception, d'une sensation, ou impression antérieure, en l'absence de l'objet qui lui avait donné naissance. Une image peut être sonore, olfactive, gustative, tactile, etc.

PAROLE

Gauche seul

1- engage plus volontiers la conversation

2- prend l'initiative dans les discussions

3- a un vocabulaire plus riche, plus varié

4- donne des réponses plus complètes et plus détaillées

5- devient volubile

6- saute d'un sujet à un autre

7- est plus sensible aux intonations fortes de la voix

8- répète plus rapidement les mots qu'il entend et avec plus de précision

9- comprend plus aisément le sens des mots

Droit seul

1- a une conversation difficile et une faculté d'élocution fortement diminuée

2- parle beaucoup moins

3- a un vocabulaire appauvri

4- écoute et dit des phrases très courtes et simplement construites

5- devient taciturne

6- s'exprime par mimiques, par gestes ou par mots isolés

7- est moins sensible aux intonations fortes de la voix

8- est souvent incapable d'entendre et de répéter des mots

9- comprend mal le langage parlé parce que le sens des mots lui échappe

10- se rappelle facilement le nom des objets, sans nécessairement en connaître la fonction	10- a de la difficulté à se rappeler le nom des objets, mais sait à quoi ils servent.

INTONATIONS

Gauche seul	**Droit seul**
1- voix et intonations normales	1- intonations moins variées
2- voix plus expressive, plus vivante	2- voix moins expressive, moins vivante
3- incompréhension du sens des intonations	3- décodage du sens des intonations
4- non-identification du ton de la voix: interrogation, colère, etc.	4- identification du ton de la voix
5- non distinction entre voix féminine et masculine	5- distinction entre voix féminine et masculine
6- façon de parler animée	6- façon de parler monocorde sans relief, terne
7- perception défectueuse des intonations et de la ligne mélodique de la phrase	7- perception juste des intonations et de la ligne mélodique d'un discours
8- attention moins grande aux mots puisqu'il en comprend facilement le sens	8- attention soutenue aux mots pour pouvoir en saisir le sens

| 9- attentif et actif aux sons non verbaux (interjection (ah!), soupir, etc.) | 9- moins attentif aux sons non verbaux |

IMAGES SONORES

Gauche seul	**Droit seul**
1- Agnosie auditive (incapable de reconnaître les sons complexes)	1- identification plus facile des sons complexes
2- perception défectueuse des images musicales	2- perception exacte et plus rapide des images sonores
3- difficulté à reconnaître les airs connus	3- identification plus rapide de l'air d'une chanson
4- incapacité de fredonner des airs connus	4- capable de reproduire les airs connus, mais non les types de sons
5- perception des images sonores détériorée	5- perception verbale détériorée
6- chante faux	6- chante juste
7- préfère marquer le rythme sans s'occuper de la mélodie	7- préfère la mélodie au rythme
8- se sent poussé à parler	8- se sent poussé à fredonner

IMAGES VISUELLES

Gauche seul

1- bonne perception des images visuelles et de tout ce qui les concerne

2- capable d'apparier sans difficulté des figures géométriques semblables

3- pas de difficulté à identifier les dessins inachevés

4- trouve rapidement les détails manquants

5- groupe les nombres en fonction de leur aspect visuel; V et X, 5 et 10

Droit seul

1- déficience dans la perception des images visuelles

2- incapable d'apparier des figures géométriques semblables

3- a de la difficulté à identifier les dessins inachevés

4- incapable de découvrir le détail qui manque; ex.: cochon sans queue, lunettes sans branches, visage sans sourcils

5- groupe les nombres en fonction de critères abstraits; V et 5, X et 10

MÉMOIRE

Gauche seul

1- se rappelle les connaissances théoriques apprises à l'école

Droit seul

1- oublie en grande partie les connaissances théoriques apprises à l'école

2- capable de mémoriser
des mots récemment appris
et de s'en rappeler très
longtemps

2- difficulté à se rappeler
les mots récemment
appris (les oublie géné-
ralement dans les deux
heures qui suivent)

3- bonne mémoire des
images verbales

3- bonne mémoire des
images non verbales

4- incapable de garder en
mémoire des figures de formes irrégulières

4- capable de mémoriser
des formes bizarres et
de les retrouver après
plusieurs heures

ORIENTATION

Gauche seul

1- orientation verbale (capacité de bien construire
une phrase) non altérée

2- oublie de vérifier les détails
de son environnement et
son orientation spatiale est
perturbée
3- va trop vite et s'accroche
partout

Droit seul

1- semble complètement
désorienté verbale-
ment

2- fait un tour d'horizon
pour détecter le
contenu et s'oriente
en conséquence
3- se déplace avec
aisance

TONUS ÉMOTIONNEL

Gauche seul

1- tonus émotif positif

2- optimiste (présent, avenir)

3- gai, joyeux

4- sociable, enjoué, plus facile à vivre

5- souriant, grand amateur de plaisanteries

6- s'intéresse à de nouveaux domaines

Droit seul

1- tonus émotif négatif

2- pessimiste (présent, avenir)

3- morose, triste

4- replié sur lui-même, maussade, plus difficile à vivre

5- difficulté à se sortir de ses pensées moroses

6- ne s'intéresse pas à grand-chose de nouveau

En résumé:

Gauche seul

1- amélioration de la pensée abstraite, conceptuelle

2- détérioration de l'imagerie mentale

3- tonus émotionnel positif

Droit seul

1- détérioration de la pensée abstraite, conceptuelle

2- amélioration de l'imagerie mentale

3- tonus émotionnel négatif

Chaque hémisphère a son propre langage, sa propre mémoire et son propre tonus émotionnel.

	Gauche	**Droit**
1- Tonus musculaire	plus élevé	moins élevé
2- Centration	monde externe	monde interne
3- Sensations	verbalise ses sensations sans nécessairement les satisfaire	satisfait ses sensations sans éprouver le besoin de les verbaliser
4- EEG (électro-encéphalo-gramme)	moins d'ondes alpha, plus d'on-des bêta	plus d'ondes alpha, moins d'ondes bêta
5- Études	sciences pures	sciences humaines
6- Meilleur rendement	mathématiques	musique
7- Hypnotisme	moins facilement hypnotisable	plus facilement hypnotisable
8- Imagerie mentale	plus vague, plus difficile	plus claire, plus nette
9- Biofeedback (rétroaction biologique)	difficulté à aug-menter les ondes alpha	facilité à augmenter les ondes alpha
10- Détente	difficulté à se détendre	facilité à se détendre

11- Tendances	tics, secousses musculaires, migraines, maux de tête, insomnie, ivrognerie, sujet aux maladies aiguës à caractère spasmodique	asthme, alcoolisme, dépression, sujet aux maladies chroniques à caractère atonique
12- Facilité	à apprendre les langues	à écrire
13- Lecture	plus rapide	plus lente
14- Apprentis-sage d'une 2e langue	approche déductive	approche inductive
15- Sommeil	tendance à moins dormir, à faire de l'insomnie	tendance à avoir un sommeil profond
16- Corps	plus d'attention au côté droit	plus d'attention au côté gauche
17- Couleur	les couleurs froides le calment	les couleurs chaudes le sitmulent
18- Carrière	facilité à la choisir	difficulté à la choisir
19- Activités	intellectuelles	artistiques

ONDES CÉRÉBRALES
Sur une échelle de 1% à 100%

	Caractéristiques mentales	Caractéristiques physiques

Bêta
suractivité

	• hypervigilance, agitation, peur, tension, hypervigilance- des cinq sens (ça nous énerve)	• hyperactivité métabolisme basal élevé avec mains moites

activité normale

de 30 à 14 c/s

	• processus créatif • conscience active • pensées agréables et faciles	• fébrilité • taux d'énergie élevé • état favorisant l'observation début de la détente

Alpha

pré-somnolence

de 13 à 8 c/s

	• suggestibilité accrue • connaisance passive • relaxation profonde de l'esprit	• calme • engourdis- sement du corps • détente profonde

Thêta

somnolence
de 7 à 4 c/s

	• début de l'inconscience • inconscience	• inconscient

Delta

état de sommeil
profond

de 35 à 0,05 c/s

	• sommeil profond	• sommeil profond

Note: c/s = cycles/seconde

Les ondes cérébrales varient selon l'hémisphère utilisé. L'hémisphère gauche a plus d'affinités avec les ondes Bêta et Thêta, tandis que l'hémisphère droit en a plus avec les ondes Alpha et Delta.

Jour et nuit, toutes les 90 minutes, le cerveau subit une inversion de ses ondes dominantes. Le jour, il utilise surtout les ondes Bêta pour rester attentif et vigilant. Cependant, toutes les 90 minutes, il a besoin de détente. Il est important alors de faire une pause dans nos activités si nous voulons obtenir de lui de bonnes performances. Il passera alors en ondes Alpha (ondes de détente) pendant 5 à 15 minutes.

Ceux qui ont l'hémisphère gauche dominant ont une forte tendance à rester trop longtemps en ondes Bêta. Ils doivent faire particulièrement attention à ce besoin fondamental du cerveau. Sinon, ils l'exposent à une trop grande fatigue et risquent de devenir agités et nerveux.

La nuit, le cerveau passe une grande partie du temps en ondes Delta, ondes du sommeil profond, permettant au corps physique de se restaurer et de se régénérer. Cependant, toutes les 90 minutes, il a besoin d'un temps de sommeil léger, appelé sommeil paradoxal, pour équilibrer le psychisme grâce aux rêves qui se déroulent durant cette période.

Les somnifères peuvent être une menace pour la santé psychique parce que souvent ils coupent ou raccourcissent la période de sommeil paradoxal qui lui est aussi nécessaire que le sommeil profond l'est à la santé physique.

Les somnifères permettent à l'individu de dormir profondément pendant quelques jours ou quelques semaines, mais en supprimant le sommeil paradoxal, ils rendent sa santé psychique de plus en plus fragile et perturbent encore plus son sommeil. Pour remédier à cette situation, il en prend en plus grande quantité et à des doses de plus en plus fortes et, malheureusement pour lui, le voilà pris dans un cercle vicieux.

Pour s'en sortir, il doit réduire progressivement sa consommation quotidienne de somnifères sur une période de trois à six mois pour en arriver à un sevrage complet et à un sommeil profond naturel. Cependant, s'il les prend sous ordonnance, il n'entreprendra rien sans avoir obtenu au préalable l'accord et la collaboration de son médecin.

Prendre des plantes calmantes ou des produits homéo-pathiques, supprimer le café, le thé et les desserts sucrés qui sont des stimulants, respirer profondément, effectuer la réflexologie des pieds et des mains, prendre des bains de pieds chauds avant le coucher sont autant de moyens qui peuvent aider l'individu à retrouver le sommeil. Bien sûr, il ne devra pas perdre patience s'il s'éveille pendant les quelques minutes du sommeil paradoxal. Bonne nuit... et bons rêves!

CHAPITRE III

Visuels et auditifs

«Sans égard au sexe, à la couleur de la peau, aux milieux culturels et religieux, l'humanité se partage en deux groupes: les visuels et les auditifs...!» C'est le principe émis par le docteur Raymond Lafontaine, neurologue montréalais et spécialiste pour enfants, dans le premier livre écrit à l'intention du public avec Mme Tardif et intitulé: *Le Principe de Lafontaine.*

Quand j'ai lu cet énoncé, il y a quelques années, j'ai eu d'abord une réaction de surprise et d'étonnement. Et je me suis dit: «Mais est-ce que ça existe des principes absolus qui peuvent s'appliquer à tous les humains, quels qu'ils soient et où qu'ils soient sur cette planète?»

Depuis ce temps, je me suis mise à observer et à étudier mon comportement ainsi que celui des gens qui vivent autour de moi et que je rencontre lors de mes nombreux ateliers de réflexologie. Je me suis tellement prise au jeu que c'est devenu pratiquement une préoccupation de tous les instants... Chaque réaction, chaque action étaient analysées à la lumière du principe de Lafontaine. Comme lui, j'en suis venue à la conclusion que tous les couples, sans exception, sont formés d'un auditif et d'un visuel.

Cette notion de couple se retrouve même au sein de la famille. Si elle est nombreuse, elle sera formée de couples auditif-visuel ou visuel-auditif, un couple auditif-visuel pouvant suivre un couple visuel-auditif ou vice-versa. De fait, avant sa naissance, on ignore le profil du premier enfant du couple, ce que l'on sait, c'est que le deuxième sera complémentaire au premier.

Devant mon enthousiasme, mes collaboratrices se sont elles aussi piquées au jeu et n'ont jamais manqué l'occasion de vérifier la justesse de ce principe et il ne s'est jamais démenti.

De ce principe, découle pour nous une notion très importante sur laquelle nous désirons attirer votre attention: **chaque individu est soit auditif soit visuel**, et non en partie l'un et en partie l'autre. Notre réaction instinctive au niveau cérébral est tellement fugace qu'elle échappe souvent à la conscience. Si un auditif croit être auditif en certaines occasions et visuel dans d'autres, c'est que dans le premier cas, il aura réagi selon son profil, et que dans le deuxième cas, il aura agi après une série d'intercommunications entre son cerveau droit et son cerveau gauche. Si un visuel se croit visuel dans certaines situations et auditif dans d'autres, c'est que sa réaction première répondra à son profil et que sa réaction secondaire surviendra après une série d'échanges entre d'abord son hémisphère gauche et ensuite son hémisphère droit.

En résumé

La réaction primaire est celle de l'hémisphère dominant, la réaction secondaire, celle de l'hémisphère non dominant.

Il est bien sûr qu'après la réaction première du cerveau dominant, vous pouvez et devez aller dans l'autre hémisphère pour avoir un comportement équilibré et adapté aux circonstances du moment, mais la réaction première se passe toujours dans le même hémisphère et semble être un mécanisme inné non contrôlable par la volonté et l'éducation. Quant à la deuxième réaction, elle semble être beaucoup moins spontanée et heureusement modifiable par l'entraînement, le raisonnement et la volonté. Ce qui fait qu'en répondant au test-questionnaire «Êtes-vous visuel ou auditif» vous avez probablement eu des réponses classées auditives et visuelles. Il semble que personne ne connaît suffisamment bien ses réactions primaires pour avoir un taux de réponses à 100% visuel ou auditif.

Après avoir lu attentivement ce chapitre, les caractéristiques propres aux auditifs et aux visuels vous seront plus familières et vous reprendriez probablement le même questionnaire avec un résultat différent. Vous auriez un taux de réponses presqu'à 100% visuel ou à 100% auditif. Et c'est très bien ainsi. La réaction première n'est ni meilleure ni pire que la réaction secondaire. Elle est ce qu'elle est: une étincelle qui allume le feu de l'activité cérébrale. Si on utilise cette réaction instinctive et qu'on lui ajoute la réaction «réfléchie» de l'autre hémisphère, il se produit un feu superbe, bien alimenté et bien vivant (cerveau rapide et alerte), mais sous contrôle pour éviter l'incendie (cerveau aux prises avec l'obsession, la psychose et la névrose).

Il est probable que si nous apprenons à moduler nos passages d'un hémisphère cérébral à l'autre, nous éviterons en très grande partie les troubles psychologiques si répandus dans notre société.

J'ose penser que la santé, la joie et l'harmonie sont le fruit de l'utilisation sage de notre cerveau.

Pour mieux vous faire saisir le profil psychologique du visuel et celui de l'auditif, nous avons élaboré un tableau à partir de textes puisés dans les volumes: *Le Principe de Lafontaine* mentionné plus haut et publié en 1979, *L'Univers des Auditifs et des Visuels* publié par Madame Lessoil et le docteur Lafontaine en 1981, le dernier livre du Dr Lafontaine écrit avec Mme Lessoil et la participation du Dr Gilles Racicot publié en 1984, intitulé: *Êtes-vous auditif ou visuel?* et celui de Mme G. Meunier-Tardif publié en 1985 et intitulé: *Les auditifs et les visuels*.

1- Message verbal

VISUEL	AUDITIF
● Attache de l'importance au sens littéral des mots.	● Attache de l'importance au ton et au volume de la voix ainsi qu'à l'expression du visage.
● La forme prime sur le fond.	● Le fond prime sur la forme.

2- Verbalisation

VISUEL	AUDITIF
● En situation de confiance, est extraverti et volubile.	● Habituellement peu loquace et introverti; cependant, il peut en situation de confiance se mettre à parler beaucoup et rapidement en passant du coq-à-l'âne, ce qui déroute le visuel.
● En situation de méfiance, se replie sur lui-même.	● Taciturne, il accumule les impressions et peut soudain exploser et ses mots peuvent alors dépasser sa pensée.
● Est vite angoissé, mais aussi vite rassuré.	● Prend du temps avant de devenir déprimé et à remonter la pente.
● L'expression de son visage révèle ses pensées.	● Son visage est générale-ment impassible et même fermé.

VISUEL	AUDITIF

3- Explications

VISUEL	AUDITIF
• Explication concrète, claire et précise.	• Explication succinte et bien synthétisée.
• Avec schéma ou dessin à l'appui, si possible.	• Pas besoin de dessin.

4- Conférences

VISUEL	AUDITIF
• A besoin d'une dimension visuelle, car les démonstrations théoriques et abstraites lui font perdre le fil du discours.	• Excellent auditeur si le conférencier est dynamique et a un sujet intéressant. S'attache aux idées plutôt qu'à la lettre.
• Restera à la conférence même s'il la trouve ennuyeuse, de peur de déplaire au conférencier ou de perdre un détail intéressant.	• Cependant, si le sujet ne l'intéresse pas, il n'hésitera pas à s'en aller.

5- Écoute

VISUEL	AUDITIF
• De peur de perdre le fil de ses idées, a tendance à interrompre l'interlocuteur.	• Attend patiemment que l'autre ait terminé sa phrase. Peut passer du coq-à-l'âne dans la conversation, mais demeure centré sur l'idée maîtresse.

6- Concentration

VISUEL

- Se concentre si intensément qu'il doit souvent se reposer de l'effort fourni en changeant fréquemment de travail.

- Structure sa pensée au moyen de points de repère (schéma, tableau).

AUDITIF

- A une concentration diffuse qui peut durer longtemps; aussi, il peut exécuter une tâche plusieurs heures d'affilée sans éprouver le besoin de faire autre chose.

- Organise sa pensée de façon circulaire; il fait des digressions pour mieux reprendre le cours de ses idées et mieux structurer sa pensée.

7- Perception

- Perçoit les éléments un à un et les additionne pour en arriver à un ensemble, à l'image d'une pyramide.

- Perçoit l'ensemble et en déroule les éléments, à l'image d'une spirale.

8- L'action

- Le maître «agisseur»: a besoin de bouger et d'agir. Met la charrue avant les bœufs, quitte à modifier son action en cours de route.

- Le maître «penseur»: passe à l'action après mûre réflexion et en ayant tous les outils en main.

9- Le besoin de toucher

VISUEL

- A besoin de toucher, car pour lui le toucher est le prolongement de l'œil; il doit vivre l'expérience, vérifier si l'élément de la cuisinière est froid ou chaud, au risque de se brûler.

AUDITIF

- N'éprouve pas le besoin de toucher; n'ira pas vérifier si l'élément de la cuisinière est chaud ou froid. Le croira sur parole si on lui dit.

10- Les caresses

- Donne volontiers des caresses, mais les accepte moins facilement.

- Accepte les caresses de bonne grâce; moins enclin à en donner.

11- Besoin de plaire

- À *absolument* besoin de plaire. S'il pense avoir déplu, c'est la catastrophe. Il hésitera alors à rétablir la communication, mais prendra tous les moyens pour rentrer dans les bonnes grâces de l'autre.

- Dès que quelqu'un de son entourage a l'air renfrogné, il se sent

- Désire plaire. Cependant, s'il croit avoir déplu, il se dit qu'il fera une mise au point à la prochaine occasion.

- Si quelqu'un de son entourage a l'air de mauvaise humeur, il se demandera: «Qu'est-ce qui lui

responsable de son attitude et se demande: «Qu'est-ce que je lui ai fait?» De fait, il se sent souvent coupable quand il est innocent et innocent quand il est coupable.

arrive?» Comme il n'en fait pas une question personnelle, il n'hésitera pas à entrer en communication avec lui.

12- Face à l'opinion des autres

VISUEL

- Est très sensible à l'opinion des autres. Cela le rend réceptif à leurs idées; mais, poussée à l'extrême, cette attitude pourra lui faire changer d'idée au gré du vent.

AUDITIF

- Est moins sensible à l'opinion des autres. Tient fermement à ses idées, parfois même jusqu'à l'entêtement.

13- Devant la télévision

- Comprend l'action et le déroulement de l'histoire même s'il n'y a pas de son.

- Ne se gêne pas pour manifester ses sentiments et exprimer tout haut ses idées. Il **regarde** la télévision.

- Peut déterminer les scènes d'après ce qu'il entend.

- Perd le fil du dialogue si quelqu'un parle pendant le programme. Il écoute la télévision.

14- Vis-à-vis des bandes dessinées

VISUEL

- Réagit instantanément à l'image et vérifie avec le texte.

AUDITIF

- Réagit d'abord au texte et vérifie avec l'image.

15 - Sports individuels (natation, ski, etc.)

- Le visuel aime pratiquer les sports individuels, mais ne recherche pas nécessairement la compétition.

- Comme il est sociable, il aime les pratiquer en compagnie d'amis ou de membres de sa famille.

- L'auditif se sent parfaitement à l'aise dans les sports individuels et préfère les pratiquer en solitaire.

- Il aime être en compétition avec lui-même et ainsi connaître ses limites. Il en profite aussi pour réfléchir.

16- Sports de groupe

- Le visuel n'est pas aussi à l'aise dans ce genre de sport que l'auditif. Il joue surtout pour le plaisir de gagner et ainsi se mettre en évidence. Il a un jeu concret, rapide, tellement centré sur l'action qu'il en perd son instinct de protection. Aussi, se blesse-t-il plus souvent que l'auditif.

- L'auditif est plus à l'aise que le visuel dans ce genre de sport. Il joue plus pour le plaisir de jouer que pour le plaisir de gagner. S'il fait un bon coup ou joue bien sa position, il en sera très satisfait et très fier. Il se blesse moins souvent que le

- Si son équipe perd la partie, il en sera grandement affecté et aura tendance à en prendre le blâme.

- Pour lui, perdre une partie n'est pas perdre une bataille, mais la guerre.

visuel, car peu importe le but de l'action, il est conscient des dangers qu'elle représente.

- Si son équipe perd une partie, il acceptera la défaite en philosophe, il se dira facilement que «tout le monde ne peut gagner; il faut un gagnant et un perdant».

- Pour lui, perdre une partie, c'est perdre une bataille et non la guerre.

17- Discipline

VISUEL

- Est discipliné dans le temps. Il aime évoluer à l'intérieur d'un cadre bien structuré et d'un horaire bien déterminé. Il se sent bien lorsqu'il a une certaine routine. Cependant, il risque de se sentir mal dans sa peau si sa vie manque de fantaisie. Il exprimera cette dernière dans sa façon de faire les choses et non en bousculant ses habitudes.

AUDITIF

- Est discipliné dans l'espace. Éprouve le besoin de bien classer ses choses et ses papiers afin de les retrouver facilement. Aime évoluer dans un cadre souple et avoir un horaire modifiable autant que faire se peut.

- Exprime sa fantaisie en bousculant ses habitudes.

18- Réussite

VISUEL

- Le visuel évalue sa réussite d'après la réaction des autres.

- Il a besoin de se sentir approuvé, car il a tendance à se sous-estimer.

- Il est à l'aise dans les projets à court terme puisqu'il peut y exprimer rapidement tout son potentiel.

AUDITIF

- L'auditif évalue sa réussite d'après ses propres critères.

- Il a sensiblement moins besoin de se sentir approuvé que le visuel.

- Cependant, il peut lui arriver de se sous-estimer face aux réussites rapides du visuel, car c'est dans les projets à long terme qu'il peut donner toute sa mesure.

19- Échec

- Le visuel accepte difficilement de ne pas réussir du premier coup, et encore plus si on lui met son échec sous le nez. Il hésitera à recommencer; mais s'il le fait, il ira chercher de l'aide.

- L'auditif est toujours déçu par l'échec, mais accepte quand même de recommencer, non sans avoir souvent pris conseil.

20- Réprimandes et punitions

- Il vaut mieux ne pas le réprimander, mais lui expliquer dès que possible

- Il est rarement pris la main dans le sac. Il planifie les mauvais

en quoi le geste qu'il a posé est répréhensible et lui donner les raisons de sa punition, s'il y a lieu.

- Ronge son frein.

coups que les visuels exécutent. S'il est pris, il semble indifférent aux réprimandes.

- Il pleure ou garde un mutisme complet.

21- Douleur

VISUEL

- Un visuel, très pris par l'action, fera peu de cas de la douleur sur le moment.

- Cependant, s'il saigne ou si quelqu'un de son entourage s'inquiète, c'est le drame.

- A peur de l'hôpital et a un grand besoin d'être entouré et rassuré par tous ceux qui l'approchent.

AUDITIF

- L'auditif qui se fait mal réagit aussitôt et demande de l'aide.

- Si son entourage s'inquiète, il aura tendance à le rassurer en disant que ce n'est pas grave.

- N'aime pas l'hôpital, mais il ira s'il pense qu'on peut faire quelque chose pour lui.

22- Changement

- Le visuel s'enthousiasme devant le changement et se lance rapidement dans l'action sans trop réfléchir, mais une fois l'euphorie du début passée, il cherche la meilleure façon de faire pour en maîtriser tous les aspects.

- Habituellement sceptique devant le changement, il observera et réfléchira. S'il est convaincu de la nécessité de celui-ci, il s'en fera le champion après en avoir trouvé les modalités d'action.

23- Commandement

VISUEL

AUDITIF

- Le visuel se rebiffe devant un commandement. Il faut plutôt lui exprimer un souhait, ou encore lui faire des suggestions qu'il exécutera avec empressement. Cependant, même s'il n'aime pas recevoir des ordres, il sera le premier à en donner et de façon très directe parce qu'il craint de ne pas être bien compris.

- L'auditif attend les ordres pour agir et il les exécutera généralement à sa façon s'il en accepte le bien-fondé. N'allez surtout pas exprimer un souhait: cela le laisserait dans l'incertitude et l'empêcheraitde passer à l'action.

24- Temps

- Rien ne va assez vite pour le visuel. Il n'a pas le temps d'attendre. C'est l'être du présent.

- Aujourd'hui est le temps d'agir, demain il sera trop tard. Il a donc tendance à réagir rapidement, sans trop réfléchir, devant les événements, ce qui peut lui occasionner des difficultés. Le visuel veut gagner du temps maintenant, quitte à en perdre plus tard.

- L'auditif a besoin de temps pour agir. Il mûrira longuement un projet et en soupèsera tous les aspects avant de le mettre à exécution. Il pourra ainsi manquer de belles occasions d'agir, le bateau sera parti quand il se décidera à le prendre. Il est prêt à prendre son temps maintenant pour en gagner plus tard.

Il est évident que le fait d'être visuel ou auditif a, en toutes choses, une influence déterminante sur notre comportement. Nous l'avons succintement décrit en certains de ses aspects dans le tableau précédent. L'étude des différents thèmes de ce tableau nous a poussées, mes collaboratrices et moi, à aller de l'avant dans notre réflexion et nous a amenées à faire des observations personnelles que nous aimerions vous faire partager. Certaines vous feront rire ou sourire parce que vous vous reconnaîtrez dans l'une ou l'autre des façons d'être ou d'agir que nous vous présentons. Nous vous présentons ces thèmes dans un ordre alphabétique.

ACCIDENTS

On peut dire du visuel qu'il «s'enfarge» dans les fleurs du tapis. Dans son empressement à se diriger vers l'objet de ses désirs, il ne voit pas les obstacles qui sont sur son chemin. Il oubliera que la table est rectangulaire, qu'il est près d'un escalier, etc. (Vos exemples sont aussi bons que les nôtres!...) En contrepartie, ses réflexes rapides lui feront éviter des face à face périlleux ou des accrochages plus ou moins sérieux.

L'auditif, plus réfléchi, embrasse son environnement d'un regard avant de se mettre en marche vers son but. S'il y a un objet ou un obstacle, il le contournera avec aisance. Pour lui, pas question de perdre la face en perdant l'équilibre, car c'est bien connu, le ridicule tue. En contrepartie, à cause de ses hésitations, il «fige sur place» et les obstacles (automobile, personnes, etc.) foncent sur lui.

AUTO

La palme du bon ou du mauvais conducteur ne revient pas nécessairement au visuel ou à l'auditif. Les deux peuvent être bons ou mauvais conducteurs, respectueux ou non des règlements de la circulation, mais pour des raisons différentes. Observons-les depuis le moment où ils montent à bord de leur voiture jusqu'au moment où ils la stationnent.

Qui bouclera plus volontiers sa ceinture? Généralement le visuel, mais le plus souvent après avoir mis l'auto en marche parce qu'il pense ainsi gagner du temps. Ce qui est loin d'être prouvé, car cela déconcentre le conducteur qui, au mieux, est obligé de ralentir et, au pire, risque d'avoir un accident. L'auditif, quant à lui, s'il juge que le port de la ceinture est justifié, la bouclera avant de mettre le moteur en marche, son temps est planifié en conséquence et, en plus, il n'aime pas prendre de risques inutiles pour gagner quelques pauvres petites secondes.

La preuve: avant de reculer, il regarde tout autour de lui et met le véhicule en marche seulement si la route est libre. Le visuel, au contraire, commence à reculer puis ensuite vérifie s'il peut le faire sans danger.

Une fois en route, le visuel et l'auditif peuvent s'impatienter si la circulation est lente. Le visuel, parce qu'il perd du temps; l'auditif, parce que son rythme de croisière est perturbé. Arrivé à destination, l'auditif prendra le premier stationnement disponible pour être sûr d'en avoir un. *Un bon tiens vaut mieux que deux tu l'auras*! telle est sa philosophie. Bien au contraire, le visuel s'approchera le plus possible de l'entrée, quitte à tourner en rond et à perdre un espace de stationnement éloigné qui était disponible à son arrivée. Dans son désir de gagner du temps et d'être le plus près possible de son but, il ira même jusqu'à stationner sa voiture dans des endroits interdits, s'il pense qu'il n'en a pas pour longtemps et s'il n'y a pas d'agent de stationnement dans le voisinage.

CADEAUX

Vous voulez rendre un visuel heureux? Choisissez avec soin son cadeau et mettez-lui-en plein la vue avec un bel emballage. Il sera ravi. N'allez surtout pas lui donner des cadeaux pratiques et utiles. Pour lui, ce sont des objets de nécessité. Ce qu'il aime, ce sont les objets décoratifs et originaux, les contenants (boîte à bijoux, chandelier, etc.) et le verre taillé.

Quand vient son tour de donner des cadeaux, il aime créer un effet surprise et faire durer le plaisir. Dans ce but, ou bien il donnera plusieurs cadeaux emballés de façon différente, ou bien il en donnera un seul qu'il placera dans une boîte plus grande. Un papa visuel avait dissimulé un billet de 50$ dans une rondelle de hockey placée dans une grosse boîte remplie de papier. Jugez de la déception de son fils quand il y trouva seulement la rondelle et de sa joie quand il y découvrit le billet. Hilarité générale!

Vous voulez combler un auditif? Demandez-lui ce qu'il veut et donnez-le-lui. N'allez surtout pas le surprendre, car vous pourriez le regretter. Contrairement au visuel, il aime recevoir des objets utiles et pratiques et encore là, il faut qu'ils soient choisis selon ses propres critères. Vous ne commettrez jamais d'erreur en lui donnant de l'argent; il pourra se procurer ce qu'il désire.

L'auditif donne en cadeau ce qu'il aime recevoir: argent, objets pratiques et utiles. Si ces cadeaux sont destinés à un autre auditif, tout va bien, ils feront plaisir. S'ils sont destinés à un visuel, l'effet n'est pas garanti. Il préférera donner un seul cadeau, choisi de préférence en présence de celui qui le recevra ou après en avoir discuté avec ce dernier. Il veut être bien certain que son cadeau sera bien reçu.

En résumé, le visuel aime prouver son appréciation en mettant beaucoup de temps à choisir ses cadeaux, l'auditif se sent apprécié quand il reçoit des cadeaux qu'il désire. Le visuel aime recevoir un cadeau qui lui prouvera qu'il est désiré et apprécié; l'auditif aime donner un cadeau qui sera désiré et apprécié.

LOISIRS

Il va de soi que les loisirs préférés de chacun des deux profils seront différents.

Le visuel occupera son temps à:

- **Regarder** la télévision ou aller au cinéma;
- **Observer** des levers et couchers de soleil, les étoiles, les beaux paysages;
- Faire du **lèche-vitrine;**
- **Décorer** la maison;

- Prendre des **photographies**;
- **Lire** (il voit plein d'images);
- Visiter les **galeries** d'art et les musées;
- **Examiner** les passants à la terrasse d'un restaurant;
- **Se regarder** dans le miroir pour vérifier son apparence et se peigner;
- S'amuser avec **l'ordinateur.**

L'auditif préférera:

- **Écouter** la radio ou aller au concert;
- **Lire** (il entend des mots);
- **Écouter** la conversation des autres;
- Jouer d'un **instrument de musique**;
- Donner des **conférences** ou **parler**;
- Jouer au **radio amateur;**
- Prendre plaisir aux **bruits** de l'eau, des oiseaux et du vent;
- **Programmer** un ordinateur;
- Bricoler en **recyclant** du bois, de la corde, du verre, des clous, etc. (tout ce qui peut lui servir un jour);
- **Prendre l'air** en faisant du sport (golf, baseball, hockey, etc.) ou en participant à des jeux d'adresse (croquet, sacs de sable, quilles, tir à l'arc, etc.).

LA MODE

Vous en «entendrez» de toutes les «couleurs» si chacun s'exprime selon ses goûts.

Le(la) visuel(le) a une nette tendance à choisir des vêtements aux coloris vifs. Les tissus choisis sont en général satinés, luisants et, pour les grandes festivités, il(elle) y ajoutera des paillettes et des lamés. Il(elle) veut sortir de l'anonymat en se faisant remarquer. Il(elle) aime les fleuris et les imprimés. Il(elle) s'arrange souvent pour que les fleurs ou les motifs de l'imprimé cachent en grande partie le fond du tissu.

Si vous jetez un coup d'œil dans sa garde-robe, vous constaterez souvent qu'elle déborde, car le visuel obéit généralement à sa tendance naturelle qui est d'acheter tout de suite un vêtement qui lui plaît, même s'il ne s'harmonise pas avec le reste de sa garde-robe. Il se dit qu'il trouvera bien les vêtements voulus pour compléter sa toilette.

Ironie du sort, il a souvent les cheveux non frisés (pour ne pas dire raides). De fait, ses cheveux sont souvent à l'image de son cerveau: linéaire. Il les porte généralement court. La visuelle aime que son maquillage accentue, souligne et mette en valeur les parties de son visage qu'elle juge les plus importantes (les yeux, entre autres). Elle porte généralement de gros bijoux (après tout, quitte à en acheter, il faut bien qu'on puisse les voir de loin).

L'auditif(ve) choisit des vêtements aux teintes pastel, souvent même ton sur ton et taillés dans des tissus semi-brillants ou mats. Il(elle) aime aussi les fleuris et les imprimés, mais ceux-ci devront être petits et ne pas occuper plus d'espace que le fond du tissu. Il ne veut surtout pas se faire remarquer par des excentricités et l'auditive attache beaucoup de soin à ce que son aspect général (cheveux - maquillage - vêtements - bijoux - accessoires) forme un tout harmonieux et discret.

Sa garde-robe renferme peu de vêtements qui, en général, ne sont pas coordonnés. Quand il fait des emplettes, sa tendance naturelle est de remettre à plus tard l'achat d'un vêtement s'il ne s'harmonise pas à ce qu'il a déjà. Il craint de ne pas trouver les vêtements pour compléter son ensemble. Et ainsi, il laisse filer de bonnes occasions. Il tient évidemment à ce que le style et la coupe de ses vêtements soient à la mode.

Généralement, ses cheveux ondulent, frisent et bouclent à l'image de son cerveau circulaire. La femme auditive aime porter les cheveux longs ou remontés en chignon. Son maquillage se veut discret et elle essaie d'adoucir, d'estomper et d'effacer les imperfections qu'elle pense trouver dans son visage. Ses bijoux ne sont généralement pas très gros.

Et maintenant que le visuel et l'auditif sont tous deux élégants, suivons-les dans un défilé de mode.

Le mannequin visuel a un sourire radieux qui découvre largement ses dents. Son visage est très expressif; par contre, son corps l'est un peu moins et ses gestes sont légèrement saccadés.

Le mannequin auditif ne sourit pas toujours. S'il sourit, il découvre à peine ses dents. Chez lui, l'énergie s'exprime de façon très dynamique dans son corps. Ses mouvements sont souples et ondulants.

Petite astuce pour vérifier le profil dominant d'une personne: prenez une photographie de cette personne et observez son sourire.

NOURRITURE

Préparation et présentation:

Le visuel a tendance à couper la nourriture en cubes et en grosses lanières qu'il dispose en pointes ou en carrés sur des plats de service. De plus, il aime créer un effet visuel en contrastant les couleurs; par exemple, il place les carottes à côté du chou-fleur et le chou-fleur à côté du brocoli, etc.

Quant à l'auditif, il coupe sa nourriture en petits morceaux ou en rondelles minces qu'il dispose en cercle sur des plats de service. Dans sa décoration, il attirera l'attention de ses convives par l'ensemble harmonieux de la présentation plutôt que par le jeu des contrastes.

Repas:

À l'heure des repas, le visuel est le premier à s'asseoir à table, il a faim; ses papilles gustatives sont déjà excitées depuis un bon moment. Il convient de les **calmer** et de remplir son creux à l'estomac en lui offrant quelques mets bien choisis et servis en quantité suffisante. Observez qu'il se donne le plaisir de manger les mets du plat principal en alternance pour mieux jouir du contraste des goûts et des couleurs.

Au contraire, il arrive à l'auditif de se faire prier à l'heure des repas. Sa dépense d'énergie est plus diffuse, plus étalée dans le temps et il ne sent pas vraiment la faim. Il faut **exciter** ses papilles gustatives en lui présentant des mets variés, bien assaisonnés, au fumet appétissant et servis en petites quantités. Il les mange alors avec plaisir et appétit. L'adage «l'appétit vient en mangeant» lui convient parfaitement bien.

Le visuel éprouve beaucoup de difficulté à sauter un repas; l'auditif, non, ce qui explique que l'auditif jeûne plus facilement que le visuel.

Problèmes de santé:

S'il a un problème de santé, le visuel prend plus volontiers des suppléments solides (comprimés, capsules, granules, etc.) et l'auditif, des dilutions (ampoules, toniques, tisanes, etc.). De plus, le visuel n'en a jamais assez et l'auditif, toujours trop. Mais attention, le visuel en rapporte chez lui une bonne quantité qu'il cesse de prendre dès qu'il se sent mieux et l'auditif en rapporte peu qu'il prend consciencieusement jusqu'à ce qu'il soit rétabli.

PROFESSIONS

La profession exercée par un individu n'est pas toujours un indice qui nous aidera à déterminer s'il est visuel ou auditif. Cependant, sur le plan objectif, il y a certaines professions qui conviennent plus à un profil qu'à l'autre.

Voici ce qui attire les visuels:

- Producteur de films
- Programmeur graphique
- Cameraman (cadreur)
- Graphiste ou imprimeur
- Maquilleur
- Éditeur
- Coiffeur
- Peintre en bâtiment
- Couturier
- Optométriste
- Dessinateur scénique
- Informaticien
- Photographe
- Ingénieur
- Décorateur
- Comptable

- Commerçant d'art
- Notaire
- Artiste peintre
- Réflexologue

Voici ce qui attire les auditifs:

- Écrivain
- Gérant
- Producteur de musique
- Oto-rhino-laryngologiste
- Musicien
- Avocat
- Accordeur de piano
- Psychologue
- Vendeur d'appareils audio
- Masseur (massage global du corps: shiatsu, ésalen, californien, trager, etc.)
- Ingénieur du son
- Annonceur de radio
- Conseiller en orientation
- Planificateur
- Programmeur

PUBLICITÉ

Devant une réclame publicitaire annonçant un nouveau produit sur le marché, une fois de plus les visuels et les auditifs agiront différemment.

Le visuel, rempli de bonnes intentions et désireux de gagner du temps, se dit: «Je l'achète pour l'essayer. Si jamais j'en ai besoin, je n'aurai pas à perdre du temps pour aller le chercher.» Il choisit probablement le modèle le plus cher et le plus sophistiqué, toujours en pensant: «J'aurai ce qu'il me faut au moment où il me le faut.» C'est un expérimentateurné, mais il lui arrive souvent de manquer de temps pour explorer toutes les possibilités des appareils qu'il s'est procurés.

L'auditif prudent se dit: «Attendons encore un peu! Ce produit n'a pas encore fait ses preuves et avec le temps le fabricant va l'améliorer.» Lorsqu'il se décide à l'acheter, il se méfie des modèles les plus sophistiqués en se disant: «Plus c'est compliqué plus l'appareil risque de se briser.»

S'il trouve en solde un produit qu'il aime et utilise, il en fait ample provision afin de pouvoir en avoir très longtemps. Après tout, n'est-il pas le cerveau de la prévoyance à long terme?

RANGEMENT

Empilons! Étalons! Si vous désirez vous y retrouver, il est préférable de ranger vous-même vos objets, car, bien sûr, le visuel et l'auditif ne le font pas de la même façon.

Le rangement du visuel se fait à la verticale, c'est-à-dire qu'il a une forte tendance (presque irrésistible) à empiler les choses les unes sur les autres. Le courrier sera rangé en pile, les vêtements aussi, enfin tout ce qui peut être empilé est empilé.

Surveillez-le bien (un peu discrètement quand même) et vous le verrez ranger en piles ce qui va sur le dessus du comptoir, du bureau ou de la table et il le fait très bien, car ce qui paraît est très important à ses yeux. Cependant, l'intérieur de ses tiroirs laisse quelques fois à désirer; car, toujours pressé il se dit qu'il y mettra de l'ordre quand il en aura le temps.

Si par exemple il perd ses clés, il les cherche un peu partout dans la maison en mettant tout le monde à contribution. S'il reste assez calme, cette action met sa pensée en mouvement et il se revoit en train de les déposer quelque part. Tout heureux, il peut enfin les récupérer.

L'auditif range à l'horizontale. Il étale son courrier, ses papiers et ses dossiers sur son bureau en se disant: «J'aime mieux attendre d'avoir le temps de les mettre chacun à leur place, sinon je ne m'y retrouverai pas!»

S'il égare un objet, il s'arrête et prend le temps de se demander où il a bien pu le placer. Après quelques secondes, il se souviendra probablement de l'endroit où il l'a mis et ira le chercher.

En résumé, on peut dire que le visuel met de l'ordre dans ce qui se voit (extérieur) et l'auditif, dans ce qui ne se voit pas (intérieur).

SENS

Les visuels comme les auditifs utilisent leur **cinq sens** pour entrer en contact avec l'univers, mais ils le font d'une façon différente.

Nous avons vu que le cerveau gauche analysait, c'est-à-dire qu'il avait une façon linéaire de voir les choses, de raisonner et que l'hémisphère droit du cerveau synthétisait, c'est- à-dire qu'il avait une façon circulaire de comprendre les choses, de réfléchir. Ce principe fondamental est confirmé quand on étudie la manière dont les visuels et les auditifs utilisent leur cinq sens.

Vue:

Vous l'avez deviné, le visuel a une vision centrale très active. Il analyse les détails de son environnement un à un pour les placer ensuite en un tout. Ce qui capte d'abord son attention, ce sont les couleurs. C'est pourquoi il fait travailler surtout ses cônes rétiniens — qui sont d'ailleurs très sensibles à la couleur.

L'auditif ne s'embarrasse pas des détails; il a d'abord une vision périphérique de son environnement. Il l'englobe d'un regard et il en saisit rapidement les ombres et les lumières, le relief et la profondeur. C'est donc dire qu'il utilise surtout les bâtonnets de sa rétine.

Ouïe:

À tout seigneur, tout honneur! Parlons d'abord de l'auditif! Vous aurez compris qu'il a une audition sélective. Il analyse les sons de l'aigu vers le grave. La ligne mélodique (l'air d'une chanson ou d'un morceau de musique) n'a pour lui aucun secret et il peut la reproduire fidèlement. Il a la voix juste. On dit de lui qu'il a beaucoup d'oreille.

Le visuel n'analyse pas les sons, il se **laisse pénétrer** par eux et il les aime ou ne les aime pas. Lors d'un concert ou d'un récital, il attachera peu d'importance aux petits défauts d'exécution (quand il y en a) pour mieux se laisser emporter par la musique et son rythme.

Odorat:

L'auditif a un odorat très sensible. Son nez fin lui fait identifier facilement toutes les odeurs habituelles ou non. Il reconnaît les fleurs au parfum qu'elles exhalent et les mets au fumet qu'ils dégagent. Toute odeur suspecte le met en alerte et il est le premier à sonner l'alarme.

Le visuel traite les odeurs, comme les sons, de façon affective. Ce qui importe pour lui, c'est le caractère plaisant ou déplaisant qui leur sont attachés. Comme il doit faire des efforts pour les identifier, il s'attachera surtout aux sensations qu'elles lui procurent: dans la mesure du possible, il se délectera de celles qu'il aime et fuira celles qui l'incommodent.

Goût:

Le visuel joue avec les cinq saveurs de base (acide, amère, douce, piquante, salée), il les identifie facilement. Il n'a pas à se poser de questions. Son ordinateur a été programmé pour les analyser.

L'auditif ne reconnaît pas d'emblée chacune des cinq saveurs de base. Il s'attache surtout à déterminer si les aliments qu'on lui sert conviennent à ses goûts et à ses désirs. Par exemple, il peut aimer le poulet, mais pas servi deux fois de la même façon; sinon, il picore dans son assiette en disant qu'il n'a pas faim.

Le toucher:

Le visuel éprouve un besoin impérieux de manipuler les objets que ses yeux ont isolés. Il apprivoise ainsi son environnement en analysant tactilement les détails.

L'auditif n'a pas besoin de toucher pour être à l'aise dans son environnement. Sa vision périphérique lui donne une idée approximative de tout ce qui l'entoure et cela lui suffit.

SEXUALITÉ

La magie qui s'exerce autour d'un couple d'amoureux, jeunes ou vieux, est fascinante. Ils semblent communiquer entre eux par télépathie. Leur amour fidèle, total et indéfectible les relie par une sorte de cordon ombilical.

Comment charmer et séduire votre partenaire? En comprenant que la communication humaine passe d'abord et surtout par l'oeil pour le visuel et par l'oreille pour l'auditif. Voir et entendre conditionnent la plus grande partie de nos relations humaines et en tenir compte, c'est utiliser la clé qui ouvre le chemin de l'amour.

La dominance de l'œil ou de l'oreille chez votre partenaire influence sa pensée et sa personnalité. Son langage amoureux et sa longueur d'onde se trouvent dans cet organe particulier.

Si vous voulez laisser savoir à votre partenaire visuel(le) que vous l'aimez, adressez-lui des billets doux, offrez-lui des objets qu'il pourra admirer, tels qu'un joli tableau ou un bouquet de fleurs. Donnez-lui des photos sur lesquelles vous le regardez avec affection et qu'il pourra placer sur son bureau de travail.

Bien sûr, il vous faudra utiliser son langage préféré (voir thème «vocabulaire»). Le jeu en vaut la chandelle puisque vous verrez ses tensions et ses résistances fondre comme neige au soleil. Quel réconfort pour lui (elle) de penser que ses états d'âme sont bien compris!

Si vous vivez votre relation amoureuse avec un visuel, n'oubliez surtout pas qu'il est stimulé par ce qu'il voit. Il lui faut voir ce qu'il aime.

Donnez-lui tout le temps de regarder et... enlevez vos vêtements sans précipitation, un à la fois. Il est très sensible aux expressions de votre visage. Pour le rendre amoureux, vous n'aurez peut-être pas autre chose à faire que de lui sourire d'une certaine façon.

Il aime faire l'amour les lumières allumées, car il veut voir son partenaire.

Figure 5

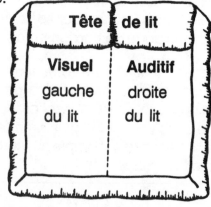

Tête de lit

Visuel	Auditif
gauche	droite
du lit	du lit

Afin d'équilibrer les ondes de son cerveau, il choisira de coucher à gauche du lit. Ainsi, son hémisphère gauche dominant entre en contact avec l'hémisphère droit de son partenaire. Et cela l'harmonise.

Si vous lui faites un massage, utilisez des mouvements fermes: il n'aime pas être chatouillé. Les pressions fermes réduisent l'accumulation d'acide lactique de ses muscles et les détendent.

Fait curieux, s'il est à l'aise devant votre déshabillage lent et votre nudité, il a tendance à se déshabiller rapidement et à ne pas se sentir très à l'aise avec la sienne. Peut-être est-il trop conscient de ses défauts physiques?

Si votre partenaire est auditif, il est stimulé par ce qu'il entend. Il ne remarquera peut-être pas votre nouveau vêtement, mais il se montrera intéressé à entendre ce que vous avez à dire sur votre journée et à vous raconter la sienne. Il est plus en relation avec le son qu'avec l'image, plus tourné vers la logique interne des mots que vers l'expression du visage. Lorsqu'il ne parle pas à haute voix, il converse avec lui-même.

Vous avez compris qu'en amour il fallait entrer dans son univers sonore en utilisant son vocabulaire. Il aime souvent s'entendre dire que vous l'aimez. Inventez-lui plein de mots doux, de belles paroles. Appelez-le par son nom, par des diminutifs.

Votre auditif n'a pas besoin que les lumières soient allumées pour faire l'amour, il y attache peu d'importance.

Lumière ou pas, son aisance corporelle l'amène à se dévêtir lentement et avec grâce. Si vous lui faites un massage, vous pourrez le caresser longuement en exerçant une légère pression. Jamais il ne vous dira: «C'est assez!» Il apprécie vivement l'effet stimulant des longs balayages et des légers effleurages.

LA TEMPÉRATURE

Quelle est votre saison préférée? Saison chaude? Saison froide?

Probablement que, si vous êtes visuel, vous cherchez à vous réchauffer: soupe chaude, eau chaude, vêtements chauds, pièces bien chauffées, voyage dans le Sud, etc. Le «chaud» semble relaxer votre système nerveux qui apprécie grandement cet effet.

Si vous êtes auditif, vous aimez vous rafraîchir: boisson froide, aliments tièdes, vêtements légers, pièces bien aérées ou climatisées, etc. Vous vantez probablement les mérites des sports d'hiver: ils revigorent. Le «froid» stimule votre organisme qui doit se contracter pour se défendre et cela lui donne une énergie très appréciée.

Dans cette ronde perpétuelle des saisons, chacun est donc avantagé la moitié de l'année: printemps-été pour le visuel et automne-hiver pour l'auditif.

VOCABULAIRE

Lors d'une conversation, chacun désire comprendre et être compris. Pourtant, il arrive souvent que deux conjoints ou deux interlocuteurs aient de la difficulté à se comprendre, chacun ayant l'impression que l'autre ne l'écoute pas, ne parle pas son langage. Ce n'est souvent qu'une illusion qui, malheureusement, s'interpose devant la réalité. Il ne faut pas oublier que chaque profil utilise un vocabulaire particulier qui entre en résonance avec son cerveau, mais pas nécessairement avec le vôtre.

Si vous parlez à un visuel, il vaut mieux utiliser des termes évoquant une image visuelle plutôt que sonore.

Attention! c'est souvent le langage qui va directement au cœur du visuel. Les mots-images lui permettent de se sentir sur la même longueur d'onde que vous. Quel apaisement! Il est compris.

Voici ce qu'il vous dira:

- Je **vois** ce que tu veux dire.
- J'ai un **point de vue** que nous pourrions regarder attentivement.
- Cela **a l'air** d'être drôle.
- C'est très **clair** pour moi.
- J'aime **observer** les gens dans leurs gestes quotidiens.
- Si je pouvais te **montrer** ce que je veux dire, tu **verrais clair** dans cette affaire.
- Veux-tu **regarder** la télévision avec moi?
- Je peux **visualiser** ce que tu me décris.
- J'aime rêver (certaines fois) en **couleurs.**
- Mon cœur s'ouvre quand tu me **regardes.**

Ce que vous pourriez lui répondre pour qu'il vous comprenne:

- Je **vois** ce que tu as voulu dire.
- Je peux **visualiser** ce projet avec toi.
- **Regardons** ensemble ces belles **photographies.**
- Cela **n'a pas l'air** très catholique.
- Laisse-moi **voir** un peu ce que je peux faire pour toi.
- De quelle **couleur verrais-tu** la salle de jeu?
- Peux-tu me donner quelques précisions de plus pour **éclairer** ma lanterne?
- Il serait bon d'**allumer** nos **lumières** et vite.
- On **verra** bien qui rira le dernier.
- Quand je te **regarde** mon cœur s'enflamme!

Si vous vous entretenez avec un auditif, instinctivement, il choisira les mots qui expriment les sons sous toutes leurs formes. Voici ce qu'il va probablement vous dire:

- En t'**écoutant**, je crois entendre la vérité.
- Viens **parler** avec moi de tes projets.
- Ça **sonne** juste à mes **oreilles**.
- Je suis heureux de t'**entendre**; tu me donnes envie de **chanter**.
- J'ai **entendu dire** entre les branches que tu adorais ton travail.
- Ça **bourdonne** d'activités ici.
- Le **son** de ta **voix** est très apaisant.
- **Discutons** d'une entente possible.
- Je préfère un endroit **tranquille** et non **bruyant**.
- **Écoutons** cette musique ensemble.

Et vous de répondre pour entrer dans son univers sonore:

- Tu sembles **écouter** quand je te **parle**.
- La **sonorité** de ta voix me ravit.
- **Parle**-moi de tes projets, je te suis tout oreille.
- Ta **voix mélodieuse** m'apaise.
- J'ai le cœur à **fredonner**.
- Tu viens de faire **sonner** une **cloche** dans ma tête.
- Si le **ton** de la **conversation** s'y prête, je t'**expliquerai** la situation.
- Viens, **dialoguons** ensemble.

Si vous utilisez la clé visuelle ou la clé sonore selon les besoins, vous captivez l'attention de votre interlocuteur, il se sentira plus proche de vous, en confiance et persuadé que vous savez comprendre ses états d'âme.

VOYAGE

Sortez vos cartes routières, nous partons! Évidemment, chacun à sa façon.

Le visuel sera à l'heure pour le départ.

À plus ou moins cinq minutes de l'heure convenue, il sera prêt. Il emporte plus de bagages que moins: il ne veut manquer de rien. Il ne planifie pas son itinéraire longtemps à l'avance, car il aime bien l'improvisation. Si on lui explique la route à suivre en lui faisant un dessin, tout ira bien, mais si les explications ne sont que verbales, il n'est pas tout-à-fait sûr qu'il se rendra à destination à l'heure désirée.

De son côté, l'auditif est prêt 30 minutes à l'avance afin de faire face aux imprévus. Ses bagages sont réduits au minimum. Il craint de s'encombrer inutilement. Il détermine son itinéraire longtemps à l'avance et, en cours de route, y apporte difficilement des modifications.

Une explication verbale suffit souvent pour qu'il trouve son chemin. Pour lui, c'est facile; il se dessine une carte dans sa tête au moment où on lui explique la route à suivre.

Pour le plaisir, nous vous proposons un jeu de proverbes, maximes et dictons. Donnez-vous le loisir de le jouer à fond en vous demandant s'ils ont été dits ou écrits par un visuel ou un auditif. Cette réflexion vous aidera à mieux comprendre la psychologie des deux grands groupes qui forment l'humanité. Vous trouverez les réponses à la fin du jeu.

1- *L'habit ne fait pas le moine.*
(Ce n'est pas sur l'aspect extérieur qu'il faut juger les gens.)

2- *À beau mentir qui vient de loin.*
    (Celui qui vient d'un pays lointain peut, sans crainte
    d'être démenti, raconter des choses fausses.)

3- *À chaque jour suffit sa peine.*
    (Supportons les maux d'aujourd'hui sans penser
    d'avance à ceux que peut nous réserver l'avenir.)

4- *Qui ne risque rien n'a rien.*
    (Un succès ne peut s'obtenir sans quelque risque.)

5- *Il faut tourner sa langue sept fois dans sa bouche
    avant de parler.*
    (Avant de parler, de se prononcer, il faut
    mûrement réfléchir.)

6- *Il ne faut pas vendre la peau de l'ours avant de
    l'avoir tué.*
    (Il faut avoir réalisé un projet avant d'en faire
    d'autres.)

7- *Autres temps, autres mœurs.*
    (Les mœurs changent d'une époque à l'autre.)

8- *La nuit porte conseil.*
    (Cesser de penser à un problème permet souvent
    de trouver la solution.)

9- *Bien faire et laisser braire.*
    (Il faut faire son devoir sans se préoccuper des cri-
    tiques.)

10- *Qui veut voyager loin ménage sa monture.*
    (Il faut ménager ses forces, ses ressources, si l'on
    veut tenir, durer longtemps.)

11- *Petit train va loin.*
(Les petits profits accumulés finissent pas faire de gros bénéfices.)

12- *Pierre qui roule n'amasse pas mousse.*
(On ne s'enrichit pas en changeant souvent d'état, de pays.)

13- *Chat échaudé craint l'eau froide.*
(On redoute même l'apparence de ce qui vous a déjà nui.)

14- *Le chat parti, les souris dansent.*
(Quand maîtres ou chefs sont absents, écoliers ou subordonnés mettent à profit leur liberté.)

15- *Dans le doute, abstiens-toi.*
(S'il y a hésitation, il vaut mieux attendre avant d'agir.)

16- *Il y a loin de la coupe aux lèvres.*
(Il peut arriver bien des événements entre un désir et sa réalisation.)

17- *Loin des yeux, loin du cœur.*
(L'absence détruit ou affaiblit les affections.)

18- *Une fois n'est pas coutume.*
(On peut fermer les yeux sur un acte isolé.)

19- *Il faut battre le fer quand qu'il est chaud.*
(Il faut pousser activement une affaire qui est en bonne voie.)

20- *L'occasion fait le larron.*
(L'occasion fait faire des choses répréhensibles auxquelles on n'avait pas songé.)

21- *Tout nouveau, tout beau.*
(La nouveauté a toujours un charme particulier.)

22- *Tout vient à point à qui sait attendre.*
(Avec du temps et de la patience, on réussit ou obtient ce que l'on désire.)

23- *Charité bien ordonnée commence par soi-même.*
(Avant de songer aux autres, il faut songer à soi.)

24- *Trop de précautions nuit.*
(L'excès de précautions tourne souvent à notre propre désavantage.)

25- *Rira bien qui rira le dernier.*
(Qui se moque d'autrui risque d'être raillé à son tour si les circonstances changent.)

RÉPONSES

Visuel:

3, 4, 7, 12, 14, 17, 18, 19, 20, 21, 23, 24.

Auditif:

1, 2, 5, 6, 8, 9, 10, 11, 13, 15, 16, 22, 25.

CHAPITRE IV

Façons de déterminer l'hémisphère dominant de chacun

Au début du livre, nous avons proposé un jeu question-naire destiné à vous permettre de connaître votre profil. Peut-être avez-vous trouvé que les résultats n'étaient pas très concluants. Il ne faut pas vous en étonner outre me-sure. Pour répondre aux questions, vous deviez *réfléchir* à vos propres façons d'être et d'agir, distinguer vos *réactions spontanées* de vos comportements acquis, exercice qui a dû vous rendre plus d'une fois perplexe. C'est pourquoi nous avons élaboré six façons amusantes de déterminer votre hémisphère dominant et celui des gens que vous rencontrez. Elles font appel à vos *réactions instinctives ou spontanées*. Une suggestion: laissez-vous agir, laissez votre nature prendre le dessus.

Bien entendu, aucun de ces tests n'est infaillible. Cependant, leurs résultats combinés avec ceux du questionnaire feront probablement ressortir votre profil dominant.

Question d'équité, trois tests mettent en jeu la vue; trois autres, l'ouïe.

I. TESTS AVEC LES YEUX

1. Direction du regard:

Vous voulez savoir si votre interlocuteur est visuel ou auditif? Posez-lui des questions et observez-le pour voir s'il dirige son regard vers la droite ou vers la gauche avant de vous répondre (peu importe que ce soit vers le haut, la ligne d'horizon ou vers le bas).

Yeux dirigés vers la droite (figure 6A)

S'il regarde d'abord à droite, il s'agit dans environ 80% des cas d'un visuel. En plus, si ses yeux vont constamment de droite à gauche et de gauche à droite sans que vous puissiez déterminer par quel côté il a commencé, vous pouvez être sûr que vous avez affaire à un visuel. Il n'y a que lui qui puisse avoir un regard aussi agité sans raison apparente. C'est probablement, selon les observations du Dr Bakan, parce que les gens dont l'hémisphère gauche est dominant ne produisent des ondes alpha (ondes de repos) que seulement 20% du temps.

S'il dirige ses yeux vers la gauche, il s'agit dans plus de 80% des cas d'un auditif. Son hémisphère droit est dominant et il produit des ondes alpha au moins 50% du temps.

Yeux dirigés vers la gauche (figure 6B)

Plus calme que le visuel, il bouge ses yeux plus lentement et presque systématiquement vers la gauche.

2. Consultation d'une circulaire:

Toutes les semaines, vous recevez des circulaires à la maison. Voyez de quelle façon chacun des membres de votre famille les consulte.

Visuel
(figure 7A)

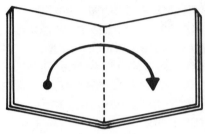

Il a de bonnes chances d'être visuel s'il commence généralement par la première page pour aller ensuite vers la dernière. Observez bien ses yeux, il les dirige d'abord vers la page de gauche et ensuite vers la page de droite. Il fait de même avec un journal ou un catalogue.

Auditif
(figure 7B)

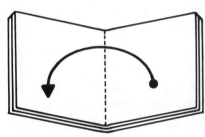

Au contraire, s'il commence généralement par la dernière page pour aller vers la première, vous avez probablement mentaffaire à un auditif. Suivez bien le mouvement de ses yeux, ils se fixent d'abord sur la page de droite et ensuite sur la page de gauche.

Comme l'attention de chacun se relâche progressivement en cours d'activité, le visuel remarque surtout les articles intéressants des premières pages de la circulaire et l'auditif, ceux des dernières. Ici comme ailleurs, ils se complètent harmonieusement.

3. Façon d'additionner:

Il aurait été étonnant que le visuel et l'auditif addition-nent de la même façon. À titre d'exemple, nous vous proposons une addition de sept nombres à trois chiffres.

125	Le visuel additionne
648	généralement les chiffres
737	les uns à la suite des
546	autres; son regard va donc
219	graduellement de haut
334	en bas de la colonne. Il
+875	procède de la même
	façon pour vérifier ses
	résultats.

S'il le fait, ce n'est pas parce qu'il n'a pas confiance en l'exactitude de ses calculs, mais surtout parce qu'il a peur d'avoir eu une distraction.

L'auditif jette un regard sur les chiffres à additionner et se demande s'il peut faire des combinaisons (7 + 8 = 15; 9 + 6 = 15; 15 + 15 = 30) et, naturellement, il les additionne de bas en haut. Pour confirmer ses résultats, il essaie de trouver d'autres combinaisons (5 + 5 = 10, 6 + 4 = 10, 10 + 10 = 20) et, cette fois, il compte de haut en bas. Comme il n'est pas toujours sûr de bien maîtriser ses tables de calculs, il lui arrive de compter sur ses doigts ou avec le bout du crayon (discrètement, quand même!)

II. TESTS AVEC LES OREILLES

1. Fredonnement:

Le visuel n'a pas particulièrement la voix juste. Quand on lui demande de fredonner, il le fait sur un air qu'il invente au fur et à mesure. S'il choisit un air connu, il en prend un, facile à exécuter. Malgré tout, il lui arrive assez souvent de chanter faux ou de fredonner insensiblement un autre air. Ses performances sont de courte durée et se terminent souvent dans un grand éclat de rire. (Vaut mieux rire de soi que de laisser les autres le faire!).

L'auditif (et cela ne surprendra personne) a généralement la voix juste. Si on lui demande de fredonner, il réfléchit un moment, choisit un air qu'il connaît bien et le fredonne assez souvent en entier sans faire une fausse note. La justesse de son oreille lui permet d'imiter assez facilement la voix des autres et les cris des animaux.

2. Est-ce que ça va bien?

Posez la question à un visuel, il vous en mettra plein la vue, pardon plein les oreilles en vous répondant: «Oui, oui, oui!» S'il ne répond qu'un seul oui, il insistera en ajoutant immédiatement quelque chose comme: «J'ai vraiment passé une belle journée, j'ai fait ceci, j'ai fait cela. Tout a bien marché. Et toi, comment ça va?»

Quant à l'auditif, il vous répondra: «Oui», et après une pause, il ajoutera: «Et toi?» Il préfère écouter d'abord la réponse de son interlocuteur et ensuite s'exprimer de façon retenue, sans trop insister.

Dans une conversation, soyez très attentif à la façon dont les gens abordent une question. Elle vous aidera à déterminer leur profil. Vous remarquerez que le visuel ira du «je» vers le «tu» et l'auditif du «tu» vers le «je». Posez une question directe au visuel (par exemple: Qu'est-ce que **tu** penses de telle chose, donne-moi **ton avis** sur ce sujet, etc.) et il va parler d'abondance. La même question risque de décontenancer l'auditif. Il aime mieux répondre à des questions d'ordre général (du genre: Quoi de neuf aujourd'hui?). Il fera un tour d'horizon de ce qui est arrivé au cours de la journée en évitant le plus possible de se mettre en évidence.

3. Lecture à haute voix:

Le test consiste à faire lire un texte à **haute voix.** Demandez à votre interlocuteur de lire d'une voix forte, sans crier ni chuchoter, en se bouchant et en se débouchant alternativement les oreilles. (La façon sûre et efficace de se boucher les oreilles consiste à peser sur le tragus avec le majeur posé sur l'index).

(figure 8)

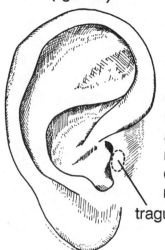

tragus

Lorsque ses oreilles sont bouchées, l'auditif lit plus fort, plus vite et avec plus d'assurance que lorsqu'il a les oreilles débouchées. Pour lui, lire avec les oreilles bouchées simule ce qui se passe lors d'un dialogue intérieur et il se retrouve là en terrain familier.

Vous l'avez deviné, le visuel est plus à l'aise lorsqu'il lit les oreilles débouchées. Être extraverti, son débit est plus rapide et sa voix plus forte et plus assurée lorsqu'il communique avec le monde extérieur sans interférence.

Après avoir effectué tous les tests faisant appel et à votre réflexion et à vos réactions spontanées, vous serez probablement en mesure de déterminer votre profil dominant. Attendez d'en être sûr avant d'utiliser la réflexologie du cerveau. Autrement, elle risquerait non seulement de ne pas être efficace, mais aussi de produire des effets fâcheux.

MOYENS DE CHANGER D'HÉMISPHÈRE

Avant de vous donner des moyens qui vous permettront de changer d'hémisphère, nous aimerions vous proposer un jeu instructif, celui des images paradoxales.

Image paradoxale
(figure 9)

Observez d'abord le dessin à gauche. Qui voyez-vous? Ou qu'y voyez-vous? **Inspirez et expirez profondément** en le regardant intensément.

Qu'avez-vous vu? En inspirant, vos yeux ont aspiré **l'espace positif**, occupé par l'objet illustré.

En expirant, votre regard a circonscrit **l'espace négatif** situé autour de l'objet. Si votre coordination respiration/yeux est bonne, vous avez vu une coupe à l'inspiration et, de part et d'autre de cette coupe, le profil de deux visages à l'expiration. Vous venez de réussir le jeu de la coupe à deux faces.

Vous vous demandez peut-être ce que signifie les expressions «espace positif» et «espace négatif». L'espace positif est celui occupé par un objet, ici la coupe, et l'espace négatif est celui qui entoure l'objet, ici le profil des deux visages.

Inspirez et expirez bien les trois dessins qui suivent. Essayez de voir ce qu'il représentent.

(figure 10)

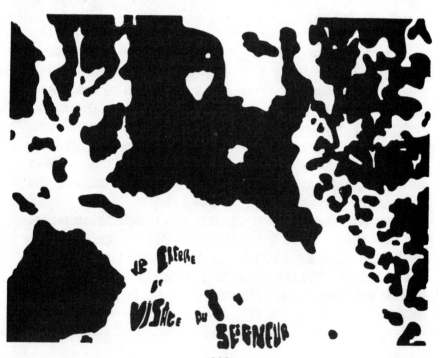

(figure 11)

(figure 12)

SANTÉ
HARMONIE
SÉRÉNITÉ

Pour ceux qui ont réussi ces jeux, cela démontre qu'ils ont rapidement établi la communication entre les deux hémisphères de leur cerveau. Pour les autres, recommencez l'expérience en éloignant les dessins. Si nécessaire, regardez-les sous différents angles et clignez des yeux. Vous découvrirez assez facilement ce qu'ils représentent. Et une fois que votre cerveau aura trouvé le moyen de passer d'un hémisphère à l'autre pour ce genre d'activité, il le fera ensuite automatiquement.

Comme l'œil est attiré par ce qui est foncé, il voit d'abord les formes noires auxquelles **il veut à tout prix donner une signification** et il n'attache aucune importance aux espaces blancs qui véhiculent le message. C'est là que l'hémisphère gauche peut bloquer. Subjugué par les formes noires qu'il est programmé pour traiter, il lui est difficile de voir les images contenues dans les espaces blancs. Pour y arriver, il doit travailler de concert avec l'hémisphère droit et les images s'imposent d'un coup à son esprit et y restent gravées définitivement.

Les espaces blancs du premier dessin renferment les lettres du mot **JÉSUS**; ceux du troisième, les lettres des mots **SANTÉ**, **HARMONIE** et **SÉRÉNITÉ**. Dans le deuxième dessin, on voit l'image d'un homme barbu, Jésus pour certains, portant une robe blanche et se tenant debout sur un arrière-plan de feuillage.

Dès le début, vous avez compris que bien respirer était essentiel pour découvrir la face cachée des images paradoxales. Une bonne respiration est la clé qui ouvre la porte permettant aux deux hémisphères de communiquer automatiquement et instantanément. Pour bien y arriver, il est important d'en comprendre le mécanisme.

La respiration véhicule l'énergie entre le pôle de la conscience, situé dans la tête, et le pôle de la force vitale, situé dans le ventre. Elle fait exécuter au corps un mouvement s'apparentant au mouvement ondulatoire de la vague qui est intimement lié au rythme de la vie primitive. L'amibe, le poisson, le reptile et le spermatozoïde reproduisent cette vague que l'on retrouve au cœur de toute vie. Elle est le fruit de l'alternance rythmée entre l'inspiration et l'expiration.

Lors de la respiration, le diaphragme, muscle large et mince qui sert de cloison entre le thorax et l'abdomen, assure 75% de tout le travail musculaire. Dans un organisme sain, il fait 18 excursions par minute; il se déplace de quatre centimètres vers le haut et de quatre centimètres vers le bas. Il exécute 24 000 mouvements par 24 heures. Pensez un peu au travail gigantesque fourni par ce muscle considéré comme un des plus puissants du corps. En comprimant tous les vaisseaux sanguins et lymphatiques de l'abdomen, il propulse la circulation veineuse de l'abdomen vers le thorax; c'est un deuxième cœur veineux.

**Position anatomique du diaphragme
(figure 13)**

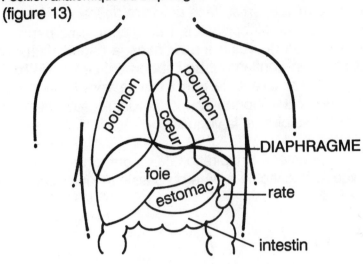

poumon

poumon

cœur

DIAPHRAGME

foie

estomac

rate

intestin

INSPIRATION

**Position du corps à l'inspiration
(figure 14)**

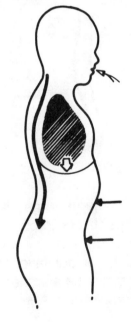

À l'inspiration, le diaphragme est actif et se contracte de façon à diminuer sa surface et à faire descendre le sommet de sa coupole. L'abaissement du diaphragme permet une augmentation du volume d'air dans la cage thoracique et provoque un gonflement de l'abdomen. Le bassin bascule alors vers l'arrière et la tête s'incline vers l'avant comme pour humer une bonne soupe, ce qui reproduit le mouvement ondulatoire de la vague.

En résumé, à l'inspiration, le diaphragme se contracte, provoque la bascule arrière du bassin et l'inclinaison avant de la tête.

EXPIRATION

Position du corps
à l'expiration

(Figure 15)

À l'expiration, le diaphragme demeure passif et est poussé vers le haut par la contraction des muscles abdominaux. Les viscères abdominaux sont repoussés vers l'arrière et vers le haut, ce qui favorise l'expulsion de l'air résiduel. La tête se renverse alors légèrement vers l'arrière pour envoyer l'air vers le haut. Après tout, noblesse oblige!

L'homme devrait expirer la tête vers le haut, puisque tout le règne animal le fait. Observez l'oiseau qui chante, le loup qui hurle, le chat qui miaule, etc. Le bassin bascule vers l'avant et ainsi le diaphragme, ce merveilleux muscle, permet une ondulation rythmique entre la tête et le bassin.

En résumé, à l'expiration, le diaphragme passif et détendu remonte, ce qui permet la bascule avant du bassin et une renverse arrière de la tête plus ou moins prononcée.

Pour en prendre conscience, concentrez votre attention sur une articulation quelconque de votre corps. À l'inspiration, si elle est bien faite, vous aurez l'impression que cette articulation **s'élargit**; à l'expiration, si elle est bien faite, vous sentirez qu'elle se **rétrécit**. Une façon de confirmer cette expérience consiste à placer vos mains de chaque côté de votre cage thoracique pour en suivre les mouvements d'**élargissement** et de **rétrécissement**.

RESPIRER, C'EST VIVRE!
Bien respirer, c'est bien vivre!

Pour bien comprendre les tableaux illustrant les gestes gérés par les deux hémisphères, il faut savoir qu'il existe deux formes de respiration: la respiration thoracique et la respiration abdominale. La respiration thoracique est celle de l'hémisphère gauche: l'inspiration thoracique le charge et l'expiration thoracique le décharge. La respiration abdominale est celle de l'hémisphère droit: l'inspiration abdominale charge l'hémisphère droit et l'expiration abdominale le décharge.

Comme le visuel a besoin de décharger son hémisphère gauche et de charger son hémisphère droit et l'auditif, de charger son hémisphère gauche et de décharger son hémisphère droit, nous proposons à l'un et à l'autre des moyens faciles d'y arriver.

Tout le corps doit participer à la respiration, de la plante des pieds à la racine des cheveux. Il est important de savoir qu'à l'inspiration, toute la structure osseuse devrait suivre le mouvement de la cage thoracique qui se tend et prend de l'expansion sous l'impulsion des poumons qui se gonflent comme des ballons; et qu'à l'expiration, toute la structure osseuse devrait imiter la cage thoracique qui se rétrécit parce que les poumons se dégonflent en se repliant comme un accordéon.

EXPIRATION THORACIQUE

- Parler à haute voix

- Faire des activités manuelles telles que: écrire, manger...

- Marcher

Visuel:
Libère généralement le trop-plein d'énergie de son hémisphère gauche (son hémisphère dominant)

Auditif:
Vide généralement l'hémisphère gauche de son énergie.

Le visuel a tendance à surcharger l'hémisphère gauche de son cerveau qui est celui de l'action et l'auditif, l'hémisphère droit qui est celui de la réflexion.

Parler à haute voix, utiliser ses mains et marcher sont des activités yang contrôlées par le cerveau gauche. Pas surprenant de constater qu'elles sont une excellente soupape de sûreté pour le visuel, car elles lui permettent de rétablir son équilibre énergétique. Cependant, s'il veut faire durer le plaisir sans se vider de ses énergies, il doit mettre son hémisphère droit à contribution dès le début de l'action, en se servant de son côté gauche comme point d'appui. Il devient à ce moment spectateur de son action et il y met plus d'objectivité.

Durant une conversation, il doit de temps en temps fixer un point sur sa gauche, ce qui lui permet de passer harmonieusement de la forme (hémisphère gauche) au fond (hémisphère droit). Non seulement il choisira mieux ses mots, mais il pourra exprimer sa pensée de façon beaucoup moins émotive.

Dans le feu de l'action, le visuel doit s'assurer de la collaboration de son côté gauche. Par exemple, quand il écrit avec sa main droite (hémisphère gauche), il doit penser à utiliser son poignet gauche (hémisphère droit) comme point d'appui.

L'hémisphère gauche de l'auditif a besoin d'être stimulé et non déchargé. Les activités dont nous venons de discuter risquent de mettre son hémisphère gauche à plat si elles sont mal entreprises. L'auditif prend naturellement appui sur son côté gauche (hémisphère droit) au moment d'exécuter une action. Il doit stimuler les énergies de son hémisphère gauche s'il veut équilibrer l'échange énergétique entre ses deux hémisphères.

Au cours d'une conversation, il doit à l'occasion faire porter son regard vers la droite. Cela lui permet de formuler sa pensée de façon plus juste et plus précise et de tempérer la froideur objective de son hémisphère droit.

Pour passer efficacement à l'action, l'auditif doit prendre conscience de l'existence de son côté droit et son hémisphère gauche s'en trouvera automatiquement stimulé.

Par exemple, quand il écrit, il constatera qu'il s'appuie automatiquement sur sa main gauche en y mettant beaucoup d'énergie et que, par ailleurs, il en manque dans sa main droite. Le visuel fait sauter les mines de crayon et l'auditif n'appuie pas assez sur elles. Rétablir, pour l'un comme pour l'autre, l'équilibre énergétique entre leurs deux hémisphères leur permettra de pallier ces inconvénients et d'agir avec un minimum d'efforts.

INSPIRATION THORACIQUE

● Se parler intérieurement

Visuel:
Surcharge généralement
son hémisphère gauche

Auditif:
Recharge généralement
son hémisphère gauche

● Planifier son action

Visuel:
Surcharge généralement
son hémisphère gauche

Auditif:
Recharge généralement
son hémisphère gauche

Si le visuel se parle intérieurement, il surcharge son cerveau gauche puisque ce dernier est le centre de la parole. Plus il y met de mots, plus il y accumule d'énergie, parfois jusqu'au point d'ébullition. Un moyen bien simple de pallier cet inconvénient majeur, consiste à se voir en train de parler à quelqu'un ou à se voir en train d'agir. C'est un truc merveilleux; l'essayer, c'est l'adopter!

L'auditif aura tout avantage à entretenir un dialogue intérieur. Son hémisphère gauche souffre souvent d'insuffisance énergétique et rien de mieux que de s'entendre parler intérieurement pour refaire le plein. À lui de se brancher sur son émetteur intérieur au bon moment.

Planifier une action a le même effet sur l'hémisphère gauche que le dialogue intérieur: celui d'accumuler l'énergie.

Pour empêcher la surcharge, le visuel doit devenir l'acteur de sa réflexion, c'est-à-dire qu'il doit se voir en train d'exécuter chacune des étapes de l'action qu'il planifie et pour charger son hémisphère gauche, l'auditif doit planifier préalablement toutes les étapes de l'action qu'il veut entreprendre. Un exemple bien simple: vous décidez de vous faire un sandwich. Le visuel se voit en train d'ouvrir la porte du réfrigérateur, de prendre le pain, le beurre, la laitue ou... (à vous de vous voir choisir). L'auditif se demande quelle sorte de sandwich il veut, s'entend énumérer tout ce dont il a besoin et ensuite décide s'il doit ou non le faire.

EXPIRATION ABDOMINALE

- Fredonner à voix haute
- Dessiner
- Danser

Auditif:

Libère généralement le trop plein d'énergie de son hémisphère droit (son hémisphère dominant).

Visuel:

Vide généralement l'hémisphère droit de son énergie.

Ces activités sont contrôlées par l'hémisphère droit et l'auditif les accomplit avec beaucoup d'aisance. Elles lui viennent naturellement et l'aident à se détendre.

L'auditif chante généralement juste, car l'hémisphère droit est le maître de la ligne mélodique (l'air d'une chanson, d'un morceau de musique). Cependant, s'il veut se donner le loisir de fredonner longtemps sans trop de fatigue, il doit faire appel à son hémisphère gauche (hémisphère des mathématiques, par conséquent du rythme) en faisant porter de temps en temps son regard vers la droite. Ce mariage harmonieux de la ligne mélodique et du rythme lui procurera beaucoup de plaisir et de joie.

L'auditif est particulièrement doué pour le dessin parce qu'il s'appuie automatiquement sur son bras gauche (hémisphère droit), ce qui favorise sa réflexion créatrice. Pour dessiner longtemps, sans fatigue excessive, il doit faire occasionnellement un transfert de poids de son côté gauche à son côté droit.

L'hémisphère droit est celui de l'espace et l'auditif s'y déplace avec grâce. Ses mouvements sont ondulants et souples et il est généralement un excellent danseur. Malgré tout, s'il ne veut pas s'épuiser trop rapidement, il doit mettre en marche les rouages de son hémisphère gauche en marquant le rythme avec son pied droit.

Le visuel se laisse facilement imprégner par le rythme, mais il éprouve des difficultés à chanter juste. Pour pallier en partie cet inconvénient, il n'a qu'à appeler son cerveau droit à l'aide en regardant de temps en temps à gauche. Quel plaisir pour lui de pouvoir fredonner sans trop de fausses notes. Que de frustrations épargnées!

L'hémisphère gauche est celui des lignes géométriques planes. Si le visuel esquisse un paysage, un portrait, etc., il doit nécessairement faire appel à son cerveau droit (cerveau de l'espace) pour pouvoir lui donner du relief. Sa main droite peut donner de la profondeur à son dessin seulement si elle prend son bras gauche comme point d'appui. Quel bonheur pour le visuel de pouvoir ainsi exprimer dans son dessin tout ce qu'il voit et ressent.

Le visuel aime se laisser bercer par le rythme, mais il n'arrive pas toujours à l'exprimer correctement. Il utilise trop son côté droit par rapport à son côté gauche, ce qui lui fait faire des faux mouvements. Pour danser en cadence, il lui suffit de répartir son poids à peu près également entre son pied gauche et son pied droit, en prenant son pied gauche comme pivot.

INSPIRATION ABDOMINALE

● Fredonner intérieurement

Auditif:

Surcharge généralement son hémisphère droit.

Visuel:
Charge généralement son hémisphère droit.

L'auditif qui fredonne intérieurement surcharge généralement son hémisphère droit et en fait sauter les fusibles. Si le goût lui prend de fredonner ainsi, il doit regarder de temps à autre vers la droite pour que son hémisphère droit fonctionne sans surchauffe.

Quant au visuel, fredonner intérieurement envoie de l'énergie à son hémisphère droit qui en manque toujours plus ou moins. C'est pour lui une agréable façon de refaire le plein d'énergie en se déplaçant harmonieusement sur la ligne mélodique. Pour le faire longtemps, il n'a qu'à regarder occasionnellement un point sur sa gauche.

En résumé, l'hémisphère gauche contrôle le côté droit; l'hémisphère droit, le côté gauche. Le visuel utilise son côté droit (action) au détriment de son côté gauche (point d'appui) et l'auditif, le côté gauche de préférence au droit. Les exercices que nous vous avons proposés ont pour but de permettre au visuel, comme à l'auditif, d'équilibrer relativement le rapport énergétique entre leurs deux hémisphères.

L'équilibre 50 - 50 n'existe pas. D'ailleurs, il n'est pas souhaitable. Il doit exister entre les deux hémisphères une certaine tension génératrice d'évolution. Mais si le déséquilibre devient trop grand, la tension excessive provoque toutes sortes de problèmes plus ou moins graves.

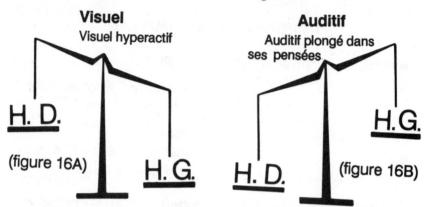

Visuel

Visuel hyperactif

H. D.

(figure 16A)

H. G.

Auditif

Auditif plongé dans ses pensées

H.G.

H. D.

(figure 16B)

N'attendez pas d'en être rendu là avant de réagir. Aussitôt que vous êtes piégé par votre hémisphère dominant, utilisez un des moyens proposés dans ce chapitre; ils recouvrent presque toutes les activités mentales et physiques possibles. Ne vous laissez pas leurrer par leur apparente simplicité. En vous aidant à rétablir la communication entre vos deux hémisphères, ils vous permettront de vivre votre vie avec plus d'harmonie. Que souhaiter de plus?

Visuel

Visuel équilibré

Auditif

Auditif équilibré

(figure 17)

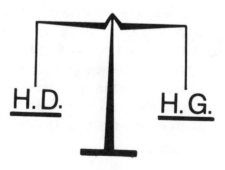

H. D.

H. G.

En lisant ce dernier chapitre, les gauchers ont souvent dû se poser la question suivante: «Mais nous, que devons-nous faire?»

Il est important de répondre à cette question puisque, selon messieurs André Roch Lecours et François l'Hermine, environ 10% des gens sont des gauchers. Ce problème de latéralité, c'est-à-dire de l'utilisation de la partie symétrique gauche du corps (main, jambe, œil, oreille) de préférence à celle de droite, peut occasionner de la fatigue ainsi que des troubles d'apprentissage et de langage. Cela se comprend puisque les gauchers utilisent le côté gauche qui est récepteur comme émetteur et le côté droit qui est émetteur comme récepteur.

Il est intéressant de savoir qu'à sa naissance, l'être humain ne manifeste pas de préférence manuelle. De zéro à quatre ans environ, les enfants utilisent tantôt la main droite, tantôt la gauche ou encore les deux. Entre quatre et huit ans s'établit une préférence manuelle presque définitive.

Plus que tout autre, je désirais trouver une solution à ce problème puisque j'étais moi-même gauchère. J'y ai longuement et mûrement réfléchi et un jour je l'ai résolu sans même y penser. Au cours d'un repas, j'ai réalisé qu'après m'être bien appuyée sur le bras gauche, je pouvais manger avec la main droite sans difficulté.

Quelle que soit l'action entreprise, il faut comprendre que c'est la façon de la mettre en marche qui importe. Les gauchers, comme les droitiers, doivent utiliser leur main gauche comme appui et leur main droite comme outil manipulateur, respectant ainsi les lois du cerveau et de l'énergie. Rien n'empêche qu'au cours de leurs activités, ils peuvent changer de main en utilisant l'autre comme point d'appui. C'est même recommandé, mais seulement après avoir utilisé la main droite pour lancer l'action. Par exemple, une personne qui lave une vitre doit commencer à le faire avec la main droite et alterner ensuite avec la main gauche.

CHAPITRE V

Harmonisation des méridiens

Dans les premiers chapitres, nous vous avons expliqué les rôles des hémisphères gauche et droit du cerveau et nous vous avons aidé à découvrir si vous étiez visuel ou auditif. À compter de maintenant, nous vous donnerons des moyens d'utiliser ces connaissances de façon pratique dans le but d'améliorer votre qualité de vie, de la rendre plus riche, plus pleine et plus harmonieuse.

Il est bien évident qu'aucune vie ne se déroule sans difficultés ni épreuves. Cependant, nous sommes tous conscients que notre façon de réagir devant ces événements pénibles peut transformer notre existence et nous servir de tremplin pour aller plus haut, plus loin. Malgré cela, nous ne trouvons pas toujours les moyens de réagir de façon positive devant l'adversité.

L'harmonisation des méridiens est un merveilleux moyen de rétablir notre équilibre intérieur, de nous garder en paix avec nous-même et de nous redonner notre santé physique et mentale. Elle nous permet de réduire à son minimum l'effet d'onde de choc que nous occasionne tout événement perturbant. Les conséquences en seront d'autant moins graves que nous aurons recours rapidement à la technique d'harmonisation des méridiens.

Chaque méridien du corps est susceptible d'être affecté par nos réactions émotives, mais c'est surtout en grande partie le méridien de l'estomac qui en absorbe les contre-coups. Imaginez quelle somme de travail il doit accomplir. Non seulement doit-il digérer tous les aliments que nous ingérons, mais en plus, il doit digérer les événements que nous vivons. Si ce méridien se dérègle, gare aux phobies dont sont victimes certains d'entre nous qui entretiennent des craintes persistantes, excessives, voire même mala-dives, de certains objets, actes, situations, idées, animaux ou personnes.

D'après M. Roger J. Calahan, psychologue californien, 95% des cas de phobies affectent le méridien de l'estomac, les 5% restants affectent le méridien du foie. Il affirme aussi qu'environ 20% des gens souffrent de phobies diverses. Certains ont peur des hauteurs, des foules, des dentistes, des médecins, des insectes, des souris, d'autres de conduire, de parler en public, de passer des examens, etc.

Toute crainte en soi n'est pas mauvaise. Par exemple, il faut être prudent quand il s'agit de traverser la rue, de ma-nipuler des objets tranchants; il faut traiter avec beaucoup de respect l'eau et le feu; il faut bien se préparer à passer des examens ou une entrevue. Elle devient phobie quand elle nous paralyse, nous empêche d'agir, nous fait nous replier sur nous-même. Et plus notre crainte est intense, plus elle inhibe notre action, plus notre phobie est sévère.

Les phobies sont d'origines diverses. Elles peuvent être génétiques, physiologiques, psychologiques, mais dans tous les cas, elles se manifestent par un problème de distri-bution d'énergie dans le réseau des méridiens, plus spéci-fiquement celui de l'estomac.

CORRECTION DES PHOBIES

Comme près de 20% des gens souffrent de phobies à des degrés divers, nous avons jugé bon de vous indiquer comment faire une correction de phobie qui soit facile, naturelle, sans douleur, presqu'instantanée et dont les effets sont durables.

Avant de faire quoi que ce soit, demandez à votre interlocuteur de situer sa phobie sur une échelle de un à dix, dix étant l'échelon le plus élevé. Souvenez-vous de ce chiffre, car il vous permettra d'évaluer l'amélioration apportée par votre correction.

10. Je panique. Je me sens aussi mal que possible.

9. Ma sensation d'inconfort est presque intolérable.

8. Ma crainte est très grande.

7. La crainte est grande.

6. La crainte m'incommode beaucoup.

5. La crainte m'incommode beaucoup, mais je peux la supporter.

4. La crainte m'indispose, mais je suis capable de la supporter.

3. J'ai un peu peur, mais j'ai la situation en mains.

2. Je suis plutôt calme, assez relaxé et je n'éprouve aucune crainte.

1. Je suis parfaitement calme et parfaitement relaxé.

PROCÉDURE À SUIVRE:

Le méridien de l'estomac, comme tous les autres méridiens, est pair et symétrique et il n'est pas affecté de la même façon chez le visuel et chez l'auditif. Le méridien de l'estomac, situé à droite, est surchargé chez le visuel et celui situé à gauche, se trouve en insuffisance chez l'auditif.

ÉTAPE N°1:

Pied droit   (Figure 18)   Pied gauche

* Fin du méridien de l'estomac

VISUEL:

Pied droit: Prenez d'abord une bonne inspiration et à l'expiration, avec le bout du pouce, exercez une pression, tout en faisant des rotations de droite à gauche (sens inverse des aiguilles d'une montre) sur le côté externe du deuxième orteil, à la base de l'ongle.

Faire trois fois.

Pied gauche: Prenez une bonne inspiration et à l'expiration, tapotez, avec l'index et le majeur, le côté externe du deuxième orteil, à la base de l'ongle.

Faire trois fois.

AUDITIF:

Il fait les mêmes corrections, mais — et cela est très important — il doit *commencer par le pied gauche* et *finir avec le pied droit*.

ÉTAPE N°2:

VISUEL:

Refaites l'étape N° 1 et demandez-lui de compter haut quand vous lui massez le deuxième orteil du pied droit et de fredonner intérieurement (sans mettre de paroles) quand vous tapotez le deuxième orteil du pied gauche.

AUDITIF:

Refaites l'étape 1 et demandez-lui de fredonner à voix haute quand vous tapotez le deuxième orteil du pied gauche et de compter intérieurement quand vous lui massez le deuxième orteil du pied droit.

ÉTAPE N°3:

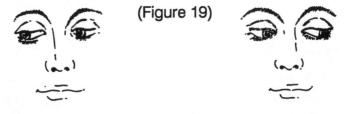

(Figure 19)

Yeux en bas à droite   Yeux en bas à gauche

VISUEL:

Refaites l'étape N°1 et demandez-lui de regarder en bas à droite quand vous lui massez le deuxième orteil du pied droit et de regarder en bas à gauche quand vous lui tapotez le deuxième orteil du pied gauche.

AUDITIF:

Refaites l'étape 1 et demandez-lui de regarder en bas à gauche quand vous tapotez le deuxième orteil du pied gauche et de regarder en bas à droite quand vous lui massez le deuxième orteil du pied droit.

Il est essentiel de bien respirer pour obtenir de bons résultats avec cette technique. Rappelez-vous que l'inspiration est un temps de repos et que l'expiration un temps d'action. Il ne faut pas masser, tapoter, fredonner et compter au moment de l'inspiration, mais bien à celui de l'expiration.

D'une étape à l'autre, il est bon de vérifier à quel échelon la personne situe sa phobie, car elle le sait instinctivement. Après la troisième étape, elle devrait la situer entre les échelons 1 et 3 inclusivement. On peut alors considérer que la technique a produit l'effet désiré. Pour confirmer cette impression, la personne doit le plus rapidement possible faire face à l'agent qui causait sa phobie. Dans certains cas, par exemple la peur de l'eau, cela peut être facile; dans d'autres, par exemple, la peur de l'avion, cela peut poser des problèmes. Si la personne ne peut confronter immédiatement sa phobie avec sa cause, nous conseillons au visuel de placer sa main gauche sur l'estomac (main calmante) et à l'auditif d'y placer sa main droite (main stimulante) pour renforcer l'effet de la correction, si le besoin s'en fait sentir.

85% des gens se libèrent de leurs phobies en utilisant cette technique. Les 15% qui n'obtiennent pas de résultats positifs sont généralement victimes d'une inversion psychologique qui se caractérise par une attitude négative vis-à-vis de soi-même et des autres, vis-à-vis de la vie elle-même. Cette inversion peut être plus ou moins sévère et est souvent causée par un désir inconscient d'autodestruction susceptible de saboter toute tentative d'amélioration de la santé. Elle peut aussi être causée par des médicaments qui affectent le système nerveux (somnifères, calmants, stimulants, pilules anticonceptionnelles, etc.).

Il existe un moyen simple d'enrayer temporairement cette inversion, ce qui vous donnera le temps de faire la correction de phobie. Pour un visuel, à l'expiration, tapez vigoureusement le côté externe de la main droite (trois fois);

ensuite, le côté externe de la main gauche (trois fois); ces massages du méridien de l'intestin grêle rééquilibrent l'énergie de l'intestin grêle, centre de gravité du corps. Pour l'auditif, commencez par taper le côté externe de la main gauche (trois fois) et ensuite le côté externe de la main droite (trois fois).

Nous avons massé le méridien de l'estomac pour corriger les phobies; nous pouvons utiliser les étapes 1, 2 et 3 de cette technique sur d'autres méridiens pour nous aider à faire face à des situations pénibles.

En cas de deuil, vous devez rééquilibrer le méridien du rein. Le point que nous suggérons de masser est situé sur le côté interne du petit orteil.

Ra: rate
Fo: foie
Es: estomac
Vb: vésicule biliaire
Re: rein
Ve: vessie
(figure 20)

Ra Fo Es Vb Re Ve

En cas de perte matérielle, c'est souvent le méridien du gros intestin qui est en cause. Le point à masser est situé du côté interne de l'index.

Po: poumon
Gi: gros intestin
Mc: maître du cœur
Tr: triple réchauffeur
Co: cœur
Ig: intestin grêle
(figure 21)

Po Gi Mc Tr Co Ig

À la suite d'une peine d'amour, d'un avortement ou d'un viol, c'est souvent le méridien du maître du cœur qui est affecté. Son point est situé sur le côté interne du majeur.

Tous les méridiens peuvent être harmonisés avec cette technique. Lorsque vous ressentez une vive émotion, cherchez quel doigt ou quel orteil est le plus douloureux au massage et appliquez dans l'ordre les étapes 1, 2, 3 sur ce doigt ou cet orteil. Vous en retirerez probablement des résultats positifs.

Afin de vous faire apprécier cette technique à sa juste valeur, laissons ceux qui l'ont utilisée vous en parler.

TÉMOIGNAGES

Phobie de l'avion:

Je suis heureuse de venir témoigner de l'aide incroyable que m'a apportée la technique de réflexologie en ce qui a trait à ma phobie: ma peur incontrôlable de l'avion.

Après avoir utilisé la technique de correction de phobies, j'ai pu prendre l'avion et j'ai apprécié le voyage Montréal-Paris, certainement plus que tout autre. J'ai été capable de manger, lire, me promener et j'ai même poussé l'audace jusqu'à regarder par le hublot. Quel spectacle magnifique. Mes craintes et mes peurs incontrôlables s'étaient littéralement envolées!

Merci de partager tes connaissances avec nous.
Suzanne Pichette,
Outremont.

Phobie de parler en public:

Chaleureux bonjour,

Mille mercis pour m'avoir permis de m'exprimer en public sans peur et sans angoisse. Dès le lendemain de la correction de cette phobie, j'ai pu échanger avec un groupe de 25 personnes. J'ai été très contente de moi-même et j'ai pu parler sans battements de cœur. Je veux refaire l'expérience dès que possible. Merci.

F.B.,
Ste-Dorothée, ville de Laval.

Phobie d'accoucher:

J'avais une peur terrible de tout ce qui s'appelle hôpitaux, médecins, interventions, piqûres, etc. Et cela, depuis que j'étais toute petite. Peur qu'on me fasse mal, peur de la douleur.

C'est lorsque j'ai été enceinte de mon premier enfant que j'ai fait appel à Madeleine Turgeon. Bien que ma grossesse se soit bien passée et que je me sois préparée à vivre mon accouchement le plus naturellement possible, je ressentais une inquiétude grandissante au fur et à mesure que la date approchait.

Lors du massage de l'extrémité du méridien de l'estomac, j'ai graduellement senti ma peur disparaître. Lorsque je suis repartie, j'avais l'âme en paix, j'étais libérée, confiante et je ne ressentais plus de peur dans quelque coin de mon être que ce soit.

Et cette sensation ne m'a pas quittée jusqu'à l'accouchement, ni depuis d'ailleurs. Un équilibre en moi a été rétabli, cela j'en suis certaine.

Un gros merci de m'avoir donné ce coup de pouce.

Sylvie Charron,
Québec.

Phobie des examens:

J'ai réussi mon examen et je suis maintenant courtier d'assurances. Je tiens à vous remercier pour la confiance que vous m'avez donnée. Je vous en remercie du fond du cœur.

M.C.,
Asbestos.

Phobie de l'avion et des chats:

Pour ma part, j'avais deux phobies bien identifiées et qui me causaient un inconfort certain: l'avion et le chat.

Avion: J'ai toujours été nerveuse lors de mes voyages en avion. Cela se traduisait par des maux de cœur et des vomissements. Il en résultait une grande fatigue qui n'avait rien à voir avec la durée du voyage. Et dans le cadre de mon travail, je devais, à un certain moment, prendre l'avion presque toutes les semaines. De plus, je devais faire quatre traversées de l'Atlantique et un voyage en avion à travers divers pays européens.

Après une seule séance de correction de phobie, j'ai effectué mes cinq voyages sans problème, j'ai même réussi à dormir et à manger dans l'avion. Et je suis toujours arrivée à destination en ne ressentant que la fatigue du décalage horaire.

Chat: Depuis mon enfance, je n'avais jamais pu supporter d'avoir un chat près de moi. Je ressentais une peur panique; j'avais des frissons et j'exécutais des mouvements de recul involontaires et parfois spectaculaires (je suis déjà montée sur une table dans un restaurant parce qu'un chat m'avait frôlé les jambes).

Depuis la correction de cette phobie, bien que je n'ai encore jamais osé prendre un chat dans mes bras, je trouve ce petit animal sympathique; j'accepte qu'il soit dans la même pièce que moi. Je peux le flatter sur le dos et j'envisage même, lorsque je serai à la retraite, d'avoir un petit chat angora à moi.

Il est évident pour moi que l'application de la technique de correction des phobies a été la solution aux problèmes bien concrets que me causaient les voyages en avion et la présence d'un chat.

Cette correction est vraiment une méthode rapide, efficace et peu coûteuse pour venir à bout des craintes excessives qui empoisonnent notre vie.

Raymonde Milot-Bolduc,
Sainte-Foy.

Phobie des oiseaux:

Je t'envoie ce court témoignage pour te remercier de m'avoir libérée de ma grande peur des oiseaux. Cette peur m'incommodait depuis 32 ans. Les oiseaux avaient toujours été pour moi une source de panique. Je changeais de trottoir quand j'en voyais. C'est tout dire.

Aujourd'hui, grâce à la réflexologie du cerveau lors d'une séance qui dura seulement cinq minutes, je peux dire que ma peur a disparu à au moins 85% et c'est merveilleux.

Merci et bravo pour la réflexologie du cerveau.

Denise Lapierre,
Québec.

Phobie de retourner au travail
après y avoir subi un choc nerveux:

C'est avec reconnaissance que je viens témoigner que pour moi la correction de méridiens a été efficace. Grâce à elle, j'ai pu reprendre mon travail, moi qui avais cessé de travailler depuis 15 mois, à la suite d'un choc nerveux.

Aujourd'hui, ça fait un an que j'ai repris le travail et je suis un homme heureux. C'est de grand cœur que je dis «merci»!

Michel Martin,
Donnacona.

Claustrophobie:

Je souffrais de claustrophobie et grâce à une correction de méridiens, j'ai été en mesure de passer mon examen au TACO de façon calme et détendue et sans avoir l'impression d'étouffer.

Merci infiniment.

Marjolaine Boivin,
Beauport.

Phobie de quitter la ville de Québec:

J'ai, durant 20 ans, enduré une phobie: celle de voyager à l'extérieur de la ville de Québec.

Tout ceci a commencé au cours d'une grossesse. Je ressentais une crainte terrible dès que je devais sortir de la maison. J'avais des tremblements, des grandes chaleurs et j'avais peur de m'évanouir. J'ai vu mon médecin qui m'a prescrit un relaxant à prendre trois fois par jour, mais il est resté sans effet.

Durant toutes ces années, j'ai essayé par différents moyens de vaincre cette peur, mais je n'obtenais pas de guérison complète. Après quelques minutes de massage sur mes deuxièmes orteils, je me suis sentie libérée et j'ai pu faire de beaux voyages en toute quiétude depuis ce temps.

Micheline Asselin,
Québec.

CHAPITRE VI

La réflexologie des couleurs et des sons

1973. Quelle joie! Je découvre le monde fascinant de la naturopathie qui m'apparaît être un fil conducteur important menant vers la santé, l'équilibre et l'harmonie de tout mon être.

Assoiffée de connaissances en ce domaine, je lis, j'étudie et j'applique concrètement pour moi et ma famille tout ce qui me semble être valable.

Au fil de mes recherches, je prends contact avec la chromothérapie (thérapie par la couleur) et je recueille de nombreuses informations à ce sujet.

Je comprends alors que la lumière est une merveilleuse source d'énergie qui vivifie et guérit l'humanité; elle produit non seulement la couleur mais également des réactions chimiques, thermiques, électriques et magnétiques.

La lumière voyage à 300 000 kilomètres par seconde. Dans l'espace et dans les milieux transparents, elle se conduit comme une onde; dans d'autres milieux, comme les métaux, elle se comporte comme si elle était composée de corpuscules ou de grains. Elle tient à la fois de la théorie ondulatoire et corpusculaire (énergie et matière).

Parmi les différentes méthodes d'application de la chromothérapie, celle de Linda Clark, qui préconise la respiration colorée, retient mon attention. Dans son livre intitulé *The Ancient Art of Color Therapy*[1], elle relate le fait suivant: une certaine Yvonne Martin cherchait un moyen de régénérer sa peau et elle eut, un jour, l'intuition de recourir à la respiration de la couleur rose pour y arriver. Après avoir expérimenté cette technique pendant 15 ans, elle avait l'air plus jeune que jamais.

Ne comprenant pas très bien comment on pouvait respirer les couleurs, j'ai laissé tomber cette idée jusqu'à ce que je fasse connaissance avec l'univers des auditifs et des visuels. Chaque profil utilisant l'énergie à sa façon, j'en ai conclu que visuels et auditifs, pour améliorer leur santé, devaient respirer différemment les couleurs.

Mais quelles couleurs respirer? Grâce à la roue des cinq éléments, utilisée en acupuncture depuis des millénaires, j'ai associé ces éléments dotés d'une couleur aux auditifs et aux visuels.

En théorie, tout semblait parfait. Et quelle ne fut pas ma surprise de constater que les personnes qui respiraient les couleurs voyaient leurs douleurs non seulement diminuer de beaucoup, mais même disparaître instantanément, comme par enchantement. La réflexologie avec les couleurs venait de naître.

Les semaines passèrent et je réalisai que les visuels obtenaient de meilleurs résultats que les auditifs. De là à penser que la réflexologie avec les sons convenait mieux aux auditifs, il n'y avait qu'un pas, vite franchi d'ailleurs, puisque la tradition chinoise associait des notes bien précises de la gamme à chacun des cinq éléments. Et la réflexologie avec les sons vint compléter harmonieusement celle avec les couleurs.

---

[1] «The Ancient Art of Color Therapy», Devin-Adair Co., Connecticut, 1975.

1. ROUE DES CINQ ÉLÉMENTS

Roue des cinq éléments
(figure 22)

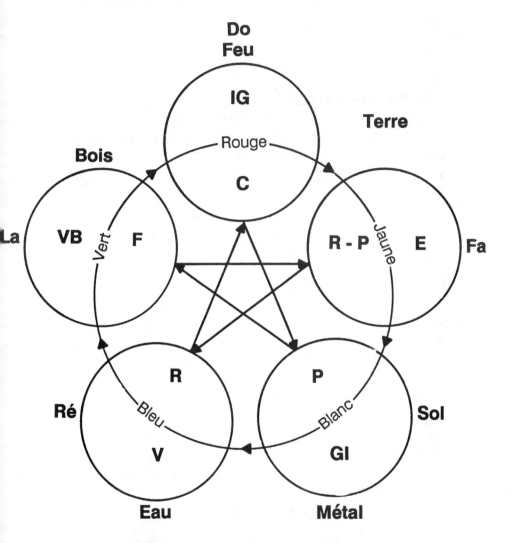

* Colorier les cercles selon les couleurs indiquées

L'univers se compose de cinq éléments essentiels: le bois, le feu, la terre, le métal et l'eau. La tradition chinoise leur attribue généralement une couleur et une note:

ÉLÉMENT	COULEUR	NOTE
Bois	Vert	La
Feu	Rouge	Do
Terre	Jaune	Fa
Métal	Blanc	Sol
Eau	Bleu	Ré

et une paire de méridiens, un **yang**, situé à l'extérieur de la roue, et un **yin**, situé à l'intérieur:

ÉLÉMENT	YANG	YIN
Bois	Vésicule biliaire (VB)	Foie (F)
Feu	Intestin grêle (IG)	Cœur (C)
Terre	Estomac (E)	Rate-Pancréas (RP)
Métal	Gros intestin (GI)	Poumon (P)
Eau	Vessie (V)	Rein (R)

Les flèches que vous voyez dans la roue des cinq éléments indiquent que l'énergie des méridiens circule dans le sens des aiguilles d'une montre et qu'il existe deux cycles de circulation d'énergie: le cycle d'aide et le cycle de contrôle.

Dans le **cycle d'aide**, chaque élément reçoit son énergie de l'élément précédent:

1. Le bois nourrit le feu (il l'alimente).

2. Le feu nourrit la terre (par sa combustion, il fabrique des matières organiques qui enrichissent la terre).

3. La terre nourrit le métal (elle contribue à la for-
    mation de pierres précieuses et de minerais).

4. Le métal nourrit l'eau (les minéraux se dissol-
    vent et enrichissent l'eau).

5. L'eau nourrit le bois (l'eau permet à la végéta-
    tion de croître).

Dans le **cycle de contrôle**, chaque élément retire son énergie de l'élément juste avant le précédent. Les cinq éléments sont reliés entre eux par des lignes formant une étoile à cinq branches.

1. Le bois contrôle la terre en la retenant avec ses racines.

2. La terre contrôle l'eau en la contenant (ex.: lac).

3. L'eau contrôle le feu en l'éteignant.

4. Le feu contrôle le métal en le fondant.

5. Le métal contrôle le bois en le fendant.

ROUE DES CINQ ÉLÉMENTS
QUI TIENT COMPTE DU CYCLE DE CONTRÔLE

Roue des cinq éléments tenant compte du cycle de contrôle.
(figure 23)

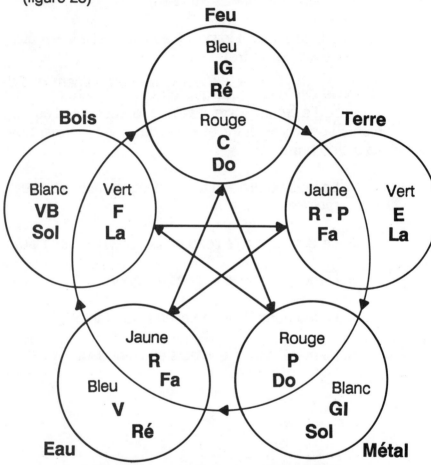

* Colorier les cercles selon les couleurs indiquées

Bois: systèmes musculaire et lymphatique
Feu: systèmes cardio-vasculaire et génital
Terre: systèmes nerveux et digestif
Métal: Système respiratoire
Eau: systèmes osseux, urinaire et endocrinien.

En observant la deuxième illustration de la roue des cinq éléments, vous constaterez que nous avons utilisé le cycle de contrôle pour appliquer la technique de la respiration des couleurs et des sons. Ce choix n'est pas le fruit du hasard: tout problème de santé implique un dérèglement du cycle de contrôle dont le rôle est d'assurer la libre circulation d'énergie entre les différents méridiens.

Le visuel, être d'émission, a été associé aux éléments yang: bois et feu, et l'auditif, être de réception, aux éléments yin: métal et eau. Quant à la terre, elle sert d'agent de liaison entre le visuel et l'auditif; elle est à la fois yang - yin puisqu'elle représente l'énergie neutre du centre, le pivot autour duquel gravitent les mutations cycliques de l'univers.

PROFIL	ÉLÉMENTS
Visuel	Bois, Yang
	Feu, Yang
Auditif	Métal, Yin
	Eau, Yin
Visuel et auditif	Terre, Yang - Yin

Le visuel aura tendance à surcharger les méridiens yang du bois, du feu et de la terre, et l'auditif, les méridiens yin de la terre, du métal et de l'eau. Nous avons dû tenir compte de cette réalité dans l'élaboration de la technique de la respiration des couleurs et des sons.

Peut-être avez-vous été surpris de voir que chaque élément de la deuxième illustration de la roue des cinq éléments comportait deux couleurs et deux sons, alors qu'il ne comportait qu'une couleur et qu'un son dans la première. La contradiction n'est qu'apparente. On retrouve dans chaque élément la couleur et le son originaux, mais nous y avons ajouté la couleur et le son de l'élément du cycle de contrôle.

TECHNIQUE DE RESPIRATION
DES COULEURS ET DES SONS

1. RESPIRATION DES COULEURS

A) SORTIE D'UNE COULEUR:
(figure 24A)

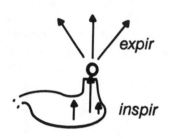

a) À l'*inspiration*: aspirez graduellement au-dessus de la région affectée la couleur qui lui est associée et faites-en une boule.

b) À l'*expiration*: rejetez cette boule en l'air en la dispersant lentement dans l'atmosphère. Effectuez trois respirations complètes (*inspir* + *expir*), avant de passer à l'étape suivante.

B) ENTRÉE D'UNE COULEUR:
(figure 24B)

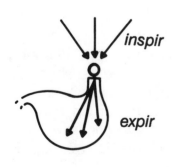

a) À l'*inspiration*, allez chercher la couleur dans l'atmosphère, faites-en une boule et placez-la au-dessus de la région affectée.

b) À l'*expiration*, peignez lentement de haut en bas la région affectée. Effectuez trois respirations complètes (*inspir* + *expir*).

2. RESPIRATION DES SONS

A) SORTIE DES SONS:

(Figure 25A)

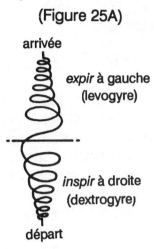

a) À l'*inspiration*: faites vibrer la note tout le long d'une spirale ascendante qui s'enroule autour de l'organe affecté dans le sens des aiguilles (vers la droite).[1]

b) À l'*expiration*: faites vibrer la note tout le long d'une spirale ascendante qui se déroule dans le sens inverse des aiguilles d'une montre (vers la gauche).

Effectuez trois respirations complètes (*inspir* + *expir*), avant de passer à l'étape suivante.

B) ENTRÉE D'UN SON

(Figure 25B)

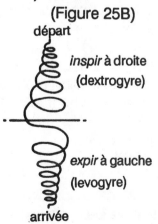

a) À l'*inspiration*: faites vibrer la note tout le long d'une spirale descendante qui se déroule dans le sens des aiguilles d'une montre (vers la droite) et placez la vibration au-dessus de la région affectée.

b) À l'*expiration*: faites vibrer la note tout le long d'une spi-

---

(1)   L'auditif n'a pas à se demander comment respirer un son, la façon de le faire lui viendra tout naturellement sans qu'il ait à réfléchir.

rale descendante qui s'enroule autour de la région affectée dans le sens inverse des aiguilles d'une montre (vers la gauche).

Effectuez trois respirations complètes (*inspir* + *expir*).

Pour bien effectuer la respiration des sons, il suffit de se rappeler une chose très importante: dans les phases A et B, vous commencez la technique, à l'*inspir*, en faisant tourner la spirale dans le sens des aiguilles d'une montre, ou si vous aimez mieux dans le sens où vous vissez le couvercle d'un bocal. Vous la poursuivez à l'*expir*, en faisant tourner la spirale dans le sens inverse (vous dévissez le couvercle).

C'est bien beau, pensez-vous, de connaître la technique de respiration des couleurs et des sons, mais quand et comment pouvons-nous l'utiliser?

Vous trouverez, décrites brièvement dans les tableaux des pages 185 à 276 inclus, les conditions spécifiques à chacun des systèmes du corps. Dans le cas des conditions chroniques, vous corrigez la zone, la(les) glande(s) et le(s) élément(s) affectés (étapes 1, 2 et 3); dans le cas des problèmes occasionnels ou aigus, la zone et le(s) élément(s) affectés (étapes 1 et 3). Vous sautez ici l'étape 2 parce que le système glandulaire est généralement affecté par des problèmes chroniques.

ÉTAPE N°1: ZONE AFFECTÉE:

Les visuels et les auditifs y exercent une action directe, les premiers en respirant les couleurs et les seconds en respirant les sons de l'élément terre qui supervise le bon fonctionnement du système nerveux.

ÉTAPE N°2: GLANDES ENDOCRINES

Les visuels et les auditifs exercent une action indirecte sur la zone affectée en respirant les couleurs (Blanc et Noir) et les sons (Sol et Ré) qui sont associés aux glandes endocrines qui, par leur sécrétion d'hormones, agissent sur les tissus et les organes du corps.

Vous ne pouvez y faire sortir ou entrer les couleurs et les sons dans n'importe quel ordre, car elles sont situées dans un ordre bien précis sur la ligne médiane du corps. La sortie d'une couleur ou d'un son s'effectuant dans un mouvement ascendant, il faut faire sortir la couleur ou le son des glandes endocrines en commençant par celle qui est située le plus bas et finir par celle située le plus haut sur la ligne médiane. L'entrée d'une couleur ou d'un son s'effectuant dans un mouvement descendant, il faut alors faire entrer la couleur ou le son en commençant par la glande située le plus haut pour finir par celle située le plus bas sur la ligne médiane. Il est très important de toujours respecter cette règle, sous peine de rendre la technique inefficace.

ÉTAPE N°3: ÉLÉMENTS ASSOCIÉS À LA ZONE AFFECTÉE

Les visuels et les auditifs respirent les couleurs et les sons des éléments associés à la zone affectée. Après avoir agi sur les systèmes nerveux et glandulaire, ils exercent une action sur les organes affectés par le problème.

Après avoir franchi ces étapes, il se peut que certains d'entre vous n'aient pas obtenu les résultats désirés. Demandez-vous alors si vous avez bien appliqué la technique de la respiration des couleurs ou des sons. Si oui, il faut chercher ailleurs les raisons de votre échec. En général, ceux qui éprouvent des problèmes de santé les corrigent en agissant sur les glandes et les éléments indiqués dans les tableaux. Malheureusement, il se peut que vous fassiez partie des exceptions. Il vous appartiendra alors de découvrir quels sont les glandes et les éléments affectés. Pour y arriver, substituez successivement les autres glandes ou les autres éléments. Votre corps vous dira quels sont ceux qui ont besoin d'être rééquilibrés.

Rappelez-vous cependant qu'il ne faut jamais faire plus de 18 respirations chaque fois que vous utilisez la technique, soit six pour chacune des étapes (zone, glande(s), élément(s)), sinon vous pouvez obtenir des résultats contraires à ceux escomptés.

Vous pouvez utiliser la technique de respiration des couleurs et des sons pour aider une personne en difficulté qui ne peut le faire elle-même. Par exemple, si vous voyez une personne évanouie, utilisez les couleurs ou les sons suggérés dans les cas d'évanouissement sur ses zones et éléments affectés et elle reprendra conscience.

Pour vous aider à bien effectuer cette technique, nous vous proposons des exemples concrets d'application.

Exemple 1

- Bursite chronique à l'épaule gauche:

Une bursite est une inflammation de la bourse séreuse du genou, du coude ou de l'épaule.

Visuel:

Le visuel utilise la technique de la respiration des couleurs pour faire disparaître la bursite.

1. Zone: épaule gauche

Sortir le vert — Entrer le jaune

Sortie du vert:

Par trois fois, il sort du vert de son épaule gauche (voir A: sortie d'une couleur).

Entrée du jaune:

Par trois fois, il peint son épaule gauche de jaune (voir B: entrée d'une couleur).

2. Glandes:

Surrénales - thymus - parathyroïdes:
sortir le blanc[1] — Entrer le noir.

Pour savoir où sont situées les glandes, voir illustration du système endocrinien à la page 205.

Sortie du blanc:

Au cours d'une même inspiration, le visuel aspire le blanc des surrénales, ensuite du thymus et enfin des parathyroïdes. À l'expiration, il rejette la boule de blanc dans l'atmosphère. À faire trois fois.

Entrée du noir:

À l'inspiration, le visuel aspire du noir de l'atmosphère ambiant et au cours d'une même expiration, il

---

[1]   La tradition indienne associe le spectre des couleurs allant du rouge au violet, aux sept glandes principales. Pour simplifier, nous avons choisi le blanc et le noir puisque le blanc est la synthèse de toutes les couleurs et le noir est à la fois absence de toute couleur, et symbole de la nuit, moment privilégié de régénération du corps. Le noir est également associé à l'élément eau, à la détente et au repos.

peint en noir d'abord les parathyroïdes, ensuite le thymus et enfin les surrénales. À faire trois fois.

3. Élément: Bois

Sortir blanc (VB) — Entrer vert (F)

Sortie du blanc:

Par trois fois, le visuel sort du blanc de la vésicule biliaire (voir A: sortie d'une couleur).

Entrée du vert:

Par trois fois, il peint son foie en vert (voir B: entrée d'une couleur).

Il ne devrait plus ressentir de douleur à son épaule gauche et pourrait se débarrasser de la bursite s'il utilise cette technique pendant quelques jours.

Bien entendu, comme on vous l'a dit dans l'introduction de ce chapitre, le visuel obtient de meilleurs résultats en respirant les couleurs et l'auditif, en respirant les sons. Cependant, l'auditif peut respirer des couleurs et le visuel peut respirer des sons. Il leur suffit d'inverser l'ordre des étapes suggéré. De plus, quand le visuel fait sortir et entrer des couleurs, l'auditif les fait entrer et sortir et quand l'auditif fait sortir et entrer des sons, le visuel les fait entrer et sortir. Si cela vous semble compliqué, rappelez-vous un principe fondamental: le visuel et l'auditif procèdent toujours à l'inverse quand ils utilisent la technique de respiration des couleurs et des sons.

Auditif:

1. *Élément*: bois;
Entrer blanc (VB) — Sortir vert (F).

2. *Glandes*: surrénales, thymus, parathyroïdes;
Entrer blanc — Sortir le noir.

3. *Zone*: épaule gauche;
Entrer vert — Sortir jaune.

Auditif:

Il utilise la technique de la respiration des sons pour faire disparaître la bursite.

1. Zone: épaule gauche

Sortir le La — Entrer le Fa.

Sortie du La:

Par trois fois, l'auditif sort le La de son épaule gauche (voir A: sortie d'un son).

Entrée du Fa:

Par trois fois, il entoure son épaule gauche du Fa (voir B: entrée d'un son).

2. Glandes:

Surrénales - thymus - parathyroïdes :
Sortir le Sol — Entrer le Ré.

Pour savoir où sont situées les glandes, voir illustration du système endocrinien, situé à la page 205.

Sortie du Sol:

Au cours d'une même inspiration, l'auditif fait vibrer la note Sol tout le long d'une spirale ascendante qui s'enroule d'abord autour des surrénales, ensuite du thymus et enfin des parathyroïdes dans le sens des aiguilles d'une montre (vers la droite). À l'expiration, il fait vibrer la note tout le long de la spirale ascendante qui se déroule dans le sens inverse des aiguilles (vers la gauche). À faire trois fois.

Entrée du Ré:

À l'inspiration, l'auditif fait vibrer la note Ré tout le long d'une spirale descendante qui se déroule dans le sens des aiguilles d'une montre (vers la droite) et place la vibration au-dessus des parathyroïdes. À l'expiration, il fait vibrer la note Ré tout le long d'une spirale descendante qui s'enroule d'abord autour des parathyroïdes, ensuite du thymus et enfin des surrénales dans le sens inverse des aiguilles d'une montre (vers la gauche).

À cause du mouvement descendant de la spirale, il commence par faire entrer le Ré dans la glande endocrine située le plus haut sur la ligne médiane du corps.

3. Élément: Bois

Sortir le Sol (VB) — Entrer le La (F)

Sortie du Sol:

Par trois fois, il sort le Sol de la vésicule biliaire (voir A: Sortie d'un son).

Entrée du La:

Par trois fois, il enroule le La autour de son foie (voir B: entrée d'un son).

Et voilà! En vérifiant la région affectée, il constatera qu'elle est moins douloureuse.

Le **visuel** qui désire utiliser la technique de la respiration des sons inverse les étapes suivies par l'auditif. Il fait entrer le son au lieu de le faire sortir et le fait sortir au lieu de le faire entrer.

Visuel:

1. *Élément:* Bois;
Entrer Sol dans V.B. - Sortir La du foie.

2. *Glandes*: surrénales - thymus - parathyroïdes;
Entrer Sol - Sortir Ré.

3. *Zone*: épaule gauche;
Entrer La - Sortir Fa.

Exemple 2:

- Mal de tête aigu:

Vous pouvez vous débarrasser de vos maux de tête aigus (céphalées), de vos migraines, en effectuant les phases 1 et 3 de la technique de respiration des couleurs ou des sons. Comme il s'agit de problèmes aigus, vous sautez l'étape 2, celle concernant le système glandulaire.

Visuel:

1. Zone: Cerveau

Sortir le vert du cerveau — Entrer le jaune dans le cerveau.

2. Glandes:

Sauter cette étape et passer à l'étape 3.

3. Éléments:

a) Bois

Sortir le blanc de la vésicule biliaire
Entrer le vert dans le foie.

b) Si nécessaire, élément eau

Sortir le bleu de la vessie
Entrer le jaune dans les reins.

Auditif:

1. Zone: Cerveau

Sortir le La du cerveau — Entrer le Fa dans le cerveau.

2. Glandes:

Sauter cette étape et passer à l'étape 3.

3. Éléments:

a) Bois

Sortir le Sol de la vésicule biliaire
Entrer le La dans le foie.

b) Si nécessaire, élément Eau

Sortir le Ré de la vessie
Entrer le Fa dans les reins.

Il se peut que certains problèmes chroniques aient des phases aiguës, il vaut mieux dans ces cas-là faire l'étape 2.

ÉTAPE 2

Visuel:

Glande: (hypophyse)

Sortir le blanc — Entrer le noir.

Auditif:

Glande: (hypophyse)

Sortir le Sol — Entrer le Ré.

Il ne faut jamais faire plus de trois séries de couleurs ou de sons à la fois. Par exemple, si vous avez appliqué la technique à la zone, aux glandes et à un des éléments proposés, attendez de l'utiliser une autre fois pour changer de glandes ou d'éléments. Si vous n'arrivez pas à déterminer quels sont ceux qui sont affectés, ayez recours soit à un acupuncteur, soit à la kinésiologie pour y arriver.

FRÉQUENCE D'UTILISATION DE LA TECHNIQUE DE LA RESPIRATION DES SONS ET DES COULEURS

CYCLE DE RESTAURATION

1. Problème aigu:

Première journée:	6 fois par jour
7 jours suivants:	3 fois par jour

2. Problème chronique:

3 semaines à 3 mois:	3 fois par jour

Faites d'abord disparaître la douleur de la région perturbée et mettez autant de temps à en reconstruire les cellules. Exemple: Vous prenez un mois à vous débarrasser d'une bursite, vous devez prendre un mois de plus pour régénérer la région concernée.

CYCLE DE PRÉVENTION

Ce n'est pas tout d'éliminer des problèmes aigus ou chroniques, il faut les empêcher de réapparaître pour conserver le bien-être acquis. Nous vous suggérons de faire la roue des cinq éléments, non selon le cycle des saisons (bois = printemps; feu = été; terre = fin de l'été; métal = automme; eau = hiver) mais selon le cycle circadien: cycle de 24 heures durant lequel il y a des heures où une quantité maximale d'énergie circule dans un élément spécifique. C'est pourquoi l'ordre de sortie et d'entrée des couleurs et des sons n'est pas le même que dans le cycle de restauration. Nous sortons les couleurs et les sons dans les méridiens yang et entrons les couleurs et les sons dans les méridiens yin.

Lever: Métal: Poumon, Gros Intestin

Poumon:
Entrer le rouge ou le Do - une respiration

Gros intestin:
Sortir le blanc ou le Sol - une respiration

Déjeuner: Terre: Estomac - Rate - Pancréas

Estomac:
Sortir le vert ou le La - une respiration

Rate - Pancréas:
Entrer le jaune ou le Fa - une respiration

Dîner: Feu: Cœur - Intestin grêle

Cœur:
entrer le rouge ou le Do - une respiration

Intestin grêle:
Sortir le bleu ou le Ré - une respiration

Souper: Eau: Vessie - Rein

Vessie:
Sortir le bleu ou le Ré - une respiration

Rein:
Entrer le jaune ou le Fa - une respiration

Coucher: Bois: Vésicule biliaire — foie

Vésicule biliaire:
Sortir le blanc ou le Sol — une respiration

Foie:
Entrer le vert ou le La — une respiration.

Cycle circadien des méridiens - (figure 26)

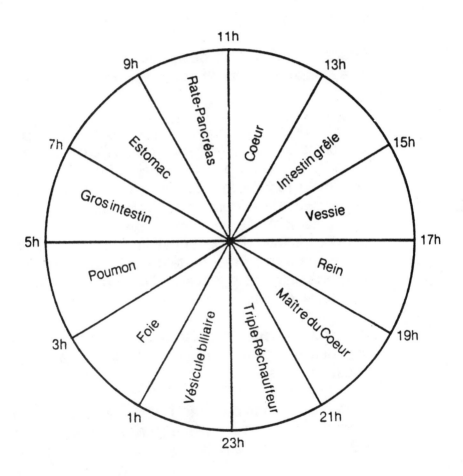

TÉMOIGNAGES

Quoique jeune, la technique de respiration des couleurs et des sons a déjà fait ses preuves. Pour vous inciter à l'essayer, nous vous présentons, dans les pages qui suivent, le témoignage de personnes qui l'ont utilisée avec succès.

Bonjour Madeleine,

Grâce à la réflexologie des couleurs, j'ai amélioré de beaucoup ma qualité de vie. En voici quelques exemples.

1. *Maux de tête* «lancinants et pénibles», causés par des sinusites: j'ai respiré par trois fois la couleur appropriée et l'intensité de mon mal de tête a immédiatement été réduite de 50%. J'ai ensuite effectué cette technique deux autres fois et il a disparu comme par enchantement. Le lendemain matin, je me suis réveillé souffrant d'un léger mal de tête. J'ai répété la technique et mon mal de tête s'est envolé. Depuis trois ou quatre mois, je n'ai pas ressenti de maux de tête aussi violents. Un vrai charme!

2. *Gaz intestinaux:* j'ai utilisé la technique de respiration des couleurs et ils sont maintenant presque chose du passé.

3. *Démangeaisons:* une fois, après avoir pris mon bain, tout le corps me démangeait comme s'il avait été soudainement envahi d'un millier de fourmis. J'ai respiré la couleur appropriée et ma démangeaison a cessé sur-le-champ.

En cas de besoin, j'utilise ma «trousse de secours» de la respiration des couleurs, car je la trouve extraordinaire. Je suis tellement convaincu que j'ai incité des personnes qui éprouvaient des malaises à l'utiliser. Dans chaque cas, les résultats ont été positifs. En voici des exemples:

1. Diminution de chaleurs chez des femmes en pré-ménopause ou en ménopause.

2. Contrôle d'émotions trop fortes causées par de la colère, de l'angoisse, des événements pénibles et même par des joies trop fortes.

3. Migraines contrôlées, même si la plupart des personnes en souffraient depuis de nombreuses années.

4. Diminution marquée de l'asthme, d'allergies respiratoires ou digestives.

5. Cessation complète d'hémorragies gastriques qui duraient depuis deux semaines et ce, dès la première utilisation de la technique.

Je te remercie en mon nom et au nom de toutes les personnes qui ont utilisé avec succès la technique de respiration des couleurs.

Avec toute ma reconnaissance,

Jean-Claude Richard,
Victoriaville.

Bonjour,

J'éprouvais de vives douleurs sous les omoplates. Madeleine me conseilla d'utiliser la technique de la respiration des sons. Ce que je fis. Dix minutes plus tard, j'avais récupéré à 75% et au bout d'une heure, je me sentais parfaitement bien. Bien mieux, la douleur n'est pas réapparue depuis.

Bravo et vive les sons!

Marc Langlais,
Québec

Bonjour,

Je t'envoie le témoignage d'un auditif qui a vu son mal disparaître à la suite de l'application de la technique de respiration des sons.

Il y a quatre ans, je suis tombé dans une cave et je me suis fait une entorse sévère à une cheville. Depuis ce temps, j'éprouvais des douleurs persistantes que je n'arrivais à soulager que par de forts calmants. Comme je n'aime pas prendre des produits chimiques, j'ai été heureux d'appliquer la technique de respiration des sons pour guérir ma cheville. Quelle surprise pour moi de voir diminuer la douleur dès la première utilisation et d'être complètement guéri après trois jours.

Merci à Madeleine!

P.L., Jonquière

Bonjour Madeleine,

À la suite d'une session où tu m'appris à utiliser la technique de respiration des sons, j'ai convaincu une amie auditive de s'en servir pour se débarrasser de douleurs à la colonne vertébrale et aux jambes.

Elle respira les sons appropriés. Dès la première fois, elle ressentit de l'amélioration et après une semaine, ses douleurs avaient disparu.

Comme je suis auditive, je trouve plus facile de saisir et d'utiliser la technique de respiration des sons. Je trouve qu'il va de soi de faire circuler les sons, alors que faire circuler les couleurs reste pour moi une notion abstraite.

Continue tes recherches, tes «petits trucs» de santé nous sont très utiles!

Ferdinande G.,
Trois-Rivières

Comme j'avais très mal à l'abdomen, Madeleine m'a expliqué la technique de la respiration des couleurs et m'indiqua quelles couleurs utiliser pour me débarrasser de mes douleurs abdominales. C'est ce que je fis et fais toujours avec succès, même dans le cas de douleurs très intenses.

Merci,

G.A., St-Marc des Carrières.

Bonjour ,

Voici quelques exemples d'application de la technique de respiration des couleurs qui m'ont apporté d'excellents résultats:

Un soir que j'avais très mal aux côtes, j'ai fait vérifier quel était l'élément responsable de cette douleur intolérable. J'ai décidé d'utiliser la technique de respiration des couleurs. La douleur a disparu après deux utilisations.

J'ai souvent une douleur au muscle psoas. Comme ce muscle est associé au rein, j'ai colorié le muscle de la couleur de cet organe. À ma grande surprise, la douleur diminua considérablement dès la première utilisation.

J'avais une phobie qui me rendait triste et me décourageait. Une fois la correction de phobie appliquée, mon sourire revint et je me sentis soulagée.

Merci, pour tes recherches; tu trouves, pour soulager nos douleurs, des moyens utiles et faciles à appliquer dans notre vie quotidienne.

Marcelle-Anne Champoux,
Trois-Rivières

CHAPITRE VII

Réflexologie de l'oreille et tableaux des systèmes

RÉFLEXOLOGIE DE L'OREILLE

La redécouverte de l'auriculothérapie a été faite en 1951 par Paul Nogier, médecin lyonnais. Au cours des années 60, il établit la première cartographie des points de correspondance entre l'oreille et les différentes régions du corps. Deux médecins français, le Dr Pierre Rosentiel-Heller et le Dr Maurice Amar ont poursuivi les travaux du Dr Nogier dans le but de rendre l'auriculothérapie accessible à tous.

L'auriculothérapie est donc une méthode qui a fait ses preuves et qui a soulagé un grand nombre de personnes aux prises avec des problèmes divers. Ce que nous avons voulu faire, c'est jeter de la lumière sur un point qui nous semblait sujet à caution et qui, dans certains cas, pourrait rendre l'application de la méthode aléatoire.

Tous trois soulignent qu'il faut d'abord masser l'oreille dominante, c'est-à-dire celle où le point à masser est le plus douloureux. Il est facile pour un expert d'exercer des pressions simultanées (avec le pouce et l'index) des deux oreilles et de déterminer, par la réaction du sujet, quelle est l'oreille où la douleur est la plus forte. Ce n'est pas le cas pour la majorité d'entre nous qui n'avons peu ou pas d'expérience dans ce domaine.

Nous avons cherché un moyen de pallier cette difficulté, car nous voulions mettre à la portée de tous cette méthode si efficace dans le soulagement des douleurs. Et c'est là que nous avons mis à profit notre connaissance des profils visuel et auditif. Comme le cerveau gauche (visuel) contrôle le côté droit du corps et que le cerveau droit (auditif) contrôle le côté gauche du corps, de là à penser que l'oreille dominante devait être la droite pour le visuel et la gauche pour l'auditif, il n'y avait qu'un pas que nous avons vite franchi, d'ailleurs. Nous avons mis notre idée à l'épreuve et les expériences que nous avons faites se sont avérées des plus concluantes.

Nous vous proposons une cartographie de l'oreille inspirée de celle du Dr Nogier et des Drs Rosentiel-Heller et Amar. Pour que vous réussissiez votre massage, nous avons pensé à ajouter une illustration de l'anatomie de l'oreille.

Anatomie de l'oreille
(figure 27)

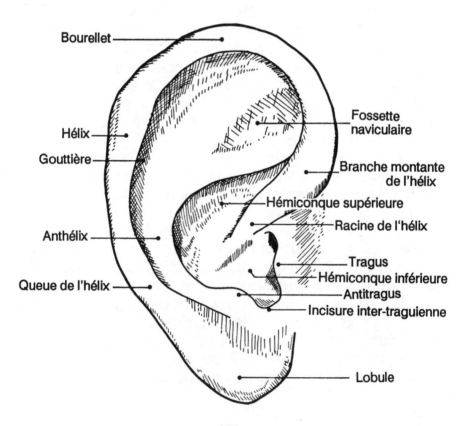

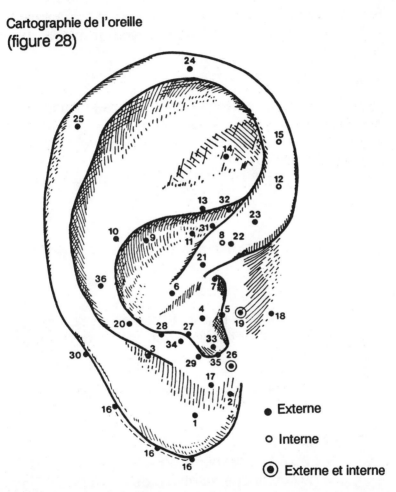

Cartographie de l'oreille (figure 28)

● Externe

○ Interne

◉ Externe et interne

Les points noirs sont situés sur la face externe de l'oreille; les points blancs, sur sa face interne et les points 19 et 26 (points noirs entourés d'un cercle blanc) à la fois sur sa face externe et sa face interne. Dans les tableaux, les mots **ext.** ou **int.** vous indiquent si vous devez en masser la face externe ou interne.

CORRESPONDANCE DES POINTS
ET DES NUMÉROS

1. Œil:
Point maître sensoriel, situé au milieu du lobule. Les glandes hypophyse et épiphyse se trouvent dans cette région.

2. Nez:
Zone nasale, située au milieu de la jonction du lobe de l'oreille et de la joue.

3. Maxillaire:
Zone située à l'arrière de l'antitragus, à la racine de la gouttière.

4. Poumons:
Zone pulmonaire située au centre de l'hémiconque inférieure.

5. Oreille:
Zone influençant le nerf auditif; elle est utilisée sur la tranche séparant la face externe et interne du tragus.

6. Estomac:
Zone située en plein centre de la conque, à la racine de l'hélix.

7. Gorge:
Zone située dans l'hémiconque supérieure, à la jonction de la branche montante de l'hélix et du sommet du trou auriculaire.

8. Int. Gonades:
Zone génitale se trouvant en arrière de la branche montante de l'hélix, sous le bourrelet. Ce point est associé au vagin, à l'utérus et à la prostate.

9. Pancréas — Rate:
Zone située dans l'hémiconque supérieure.

10. Cœur:
Zone située dans l'anthélix à la hauteur du point pancréas-rate.

11. Foie - Vésicule:
Zone hépato-biliaire située dans l'hémiconque supérieure, sous l'anthélix.

12. Int. Rectum:
Zone du rectum et de l'anus, située à l'extrémité de l'avant-mur sous le bourrelet.

13. Sciatique:
Zone située sous la fossette naviculaire.

14. Genou:
Zone située au centre de la fossette naviculaire.

15. Int. Rein:
Zone située sur l'axe de la fossette naviculaire sous le rebord de l'ourlet (cette localisation est linéaire et s'étend jusqu'au point 25).

16. Trijumeau:
Zone du nerf trijumeau située sur la bordure du lobule. Il innerve les muscles de la mastication, de l'oreille moyenne et du palais.

17. Comportement:
Point maître du comportement. À utiliser lors de comportements agressifs, irritables et de troubles des organes génitaux. Il est situé dans le tiers supérieur du lobule.

18. Tragus:

Point maître du tragus; il agit sur les troubles des organes génitaux externes. Il est situé à 2,5 cm en avant du rebord tragal.

19. Int. Peau:

Point maître de la peau, situé sous le tragus, à environ 1/2 cm de son rebord postérieur.

19. Ext.Corps calleux:

Zone située au milieu du tragus.

20. Épaule:

Zone située au-dessus et en arrière de l'antitragus, dans la gouttière de l'hélix.

21. Zéro:

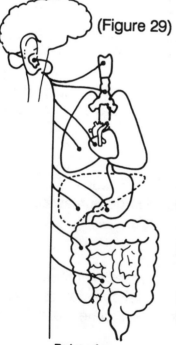

(Figure 29)

Point zéro équilibre le système nerveux et endocrinien. Cette petite zone est en communication directe avec la plupart des organes de notre vie végétative. À utiliser pour:

- la disparition de la sensation de faim chez le boulimique;
- la réduction de l'angoisse et de la nervosité;
- l'excès de poids (ou de maigreur);
- l'élimination du tabagisme.

Il est situé à la racine de la branche montante de l'hélix.

Point zéro

22. Membre inférieur:
Point maître contrôlant la sensibilité et la motricité des jambes (y compris les orteils et la plante des pieds). Il est situé un peu au-dessus du point zéro.

23. Membre supérieur:
Point maître contrôlant la partie sensitive des bras. Il est situé un peu au-dessus du point 22.

24. Allergies et Feux sauvages:
Point maître contrôlant les allergies et les feux sauvages (herpès). Il est situé au sommet du pavillon.

25. Point de Darwin: (Douleurs des membres)
Point maître à utiliser pour tous les troubles douloureux des membres. Il est situé sur la bordure de l'hélix à l'endroit ou, fréquemment, cette bordure est plus épaisse.

26. Int. Point de synthèse: (réaction psychique)
Point maître ayant une action générale sur les réactions psychiques. Il est situé dans la région postérieure du pavillon.

26. Ext. Zone anti-stress:
Zone située en avant et en haut du lobule.

27. Hypothalamus postérieur:
Zone située au pied du tragus, à l'intérieur de la conque.

28. Point occipital:
Ce point agit sur les troubles sensitifs et moteurs des membres, des articulations, de la colonne vertébrale et du cœur. Il est situé à l'extrémité de l'antitragus.

181

29. Point génital:
Ce point influence les ovaires et les testicules. Il est situé sous l'incisure intertragienne, dans la partie haute du lobule.

30. Zone médullaire:
Zone influençant le système nerveux périphérique, située sur la queue de l'hélix.

31. Intestins:
Zone située dans l'hémiconque supérieure, sous l'anthélix.

32. Métabolisme et Vessie :
Zone des troubles métaboliques, située au centre de l'hémiconque supérieure.

33. Hypothalamus antérieur:
Zone située en arrière de l'antitragus dans la conque.

34. Système sympathique:
Zone de commande du système nerveux sympathique, située à la base de la gouttière.

35. Point surrénalien:
Zone anti-inflammatoire, localisée au milieu de l'incisure intertraguienne.

36. Thymus:
Zone située dans la gouttière de l'hélix entre la zone du cœur et de l'épaule. À utiliser lors d'infections.

TECHNIQUE DE LA RÉFLEXOLOGIE
DE L'OREILLE

À chacune des conditions particulières, nous avons associé des points à masser qui se trouvent sur la cartographie de l'oreille. Il s'agit maintenant de repérer l'endroit exact où ils se situent sur votre oreille.

Pour y arriver, prenez votre oreille entre le pouce et l'index et exercez des pressions dans la zone indiquée. Au moment où vous ressentez une douleur aiguë, vous avez détecté le point à masser.

FAÇON DE MASSER

I. Commencez par l'oreille dominante (droite pour le visuel, gauche pour l'auditif) en la prenant entre le pouce et l'index.

2. Repérez en pressant les points à masser.

3. Massez les points douloureux à l'expiration en exerçant une pression et en faisant des rotations vers l'avant pour l'oreille droite et vers l'arrière pour l'oreille gauche. À l'inspiration, arrêtez de masser et détendez-vous. Faites ce massage trois fois pour chaque point indiqué. Il se peut que vous n'obteniez pas immédiatement tout l'effet désiré. Répétez alors cette technique trois fois dans la journée.

CONSEILS PRATIQUES

1. Dès qu'il y a amélioration, faites la technique une fois par jour.

2. Une fois que la douleur a disparu, faites la technique tous les deux jours et ce, pendant autant de temps que vous aviez pris pour faire disparaître la douleur.

3. Dans les cas chroniques, faites la technique trois fois par semaine.

4. Ne massez pas plus de trois points. À certaines conditions, nous avons associé plusieurs points. Choisissez parmi ces points les trois points les plus douloureux.

5. Si la zone à masser se trouve dans la conque, l'utilisation de l'index seul suffit.

6. Veillez à ce que le massage ne soit pas trop énergique et à ce que vos ongles soient assez courts afin de ne pas vous blesser l'oreille. Dans ce but, il est préférable de ne pas faire usage de bâtonnet de verre, de stylet de détection et de massage, ni de tout autre instrument conçu à cet usage. Ils sont plutôt destinés aux spécialistes en auriculothérapie.

7. Il semble y avoir un résultat de qualité supérieure si le massage s'effectue à partir des points réflexes de la tête (lobule) en poursuivant vers ceux des pieds (sommet du pavillon). En d'autres mots, on commence le massage par le point situé le plus bas dans l'oreille pour terminer par celui qui est situé le plus haut.

Système cardio-vasculaire

Élément Feu

Visuel: Sortir Bleu   Rentrer Rouge
Auditif: Sortir Ré   Rentrer Do

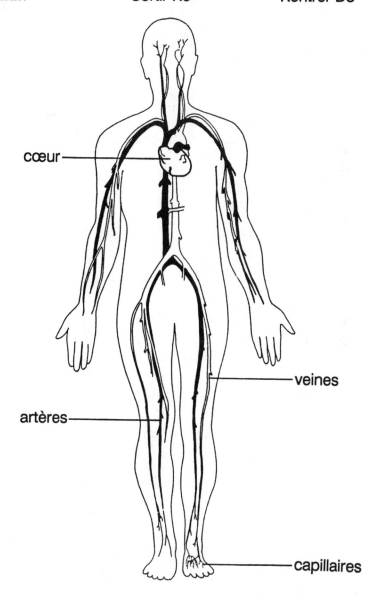

cœur

veines

artères

capillaires

Système Cardio-vasculaire

Problèmes de santé	Description	Etapes	Couleurs		Sons	
			V:Sortir A:Entrer	Entrer Sortir	A:Sortir V:Entrer	Entrer Sortir

Anémie
 	
Points à masser dans les oreilles:
 	
6, 9, 11
	Diminution du nombre de globules rouges du sang et de leur teneur en hémoglobine	1° Zone:
		  -rate
		2° Glande:
		  -thyroïde
		3° Elément:
		  -bois
			1° Vert
			
			2° Blanc
			
			3°
			Blanc(VB)
				Jaune
				
				Noir
				
				Vert(F)
					1° La
					
					2° Sol
					
					3°
					Sol(VB)
						Fa
						
						Ré
						
						La(F)

Anévrisme
 	
Voir un médecin 26 int. et ext., 21
	Dilatation anormale des parois d'un vaisseau sanguin ou d'une cavité cardiaque	1° Zone:
		  -région concernée
		2° Glandes:
		  -tout le système endocrinien
		3° Elément:
		  -feu
			1° Vert
			
			2° Blanc
			
			3°
			Bleu(IG)
				Jaune
				
				Noir
				
				Rouge(C)
					1° La
					
					2° Sol
					
					3°
					Ré(IG)
						Fa
						
						Ré
						
						Do(C)

Angine de poitrine
 	
Voir un médecin 26 int. et ext., 21, 24
	Spasme des artères qui nourrissent le coeur	1° Zones:
		  -coeur
		  -plexus solaire
		2° Glandes:
		  -pancréas
		  -surrénales
		  -thyroïde
		3° Eléments:
		  -métal
		  -eau
			1° Vert
			
			2° Blanc
			
			3°
			Blanc(GI)
			Bleu(V)
				Jaune
				
				Noir
				
				Rouge(P)
				Jaune(R)
					1° La
					
					2° Sol
					
					3°
					Sol(GI)
					Ré(V)
						Fa
						
						Ré
						
						Do(P)
						Fa(R)

Système Cardio-vasculaire

Problèmes de santé	Description	Etapes	Couleurs		Sons	
			V:Sortir A:Entrer	Entrer Sortir	A:Sortir V:Entrer	Entrer Sortir
Artériosclérose et athérome	Durcissement des artères avec parfois dépôts de plaques lipidiques	1° Zone: -région concernée 2° Glandes: -ovaires ou -testicules -surrénales -thyroïde	1° Vert 2° Blanc	Jaune Noir	1° La 2° Sol	Fa Ré
Points à masser dans les oreilles: 26 int. et ext., 21, 25, 24		3° Elément: -bois	3° Blanc(VB)	Vert(F)	3° Sol(VB)	La(F)
Arythmie cardiaque	Irrégularités du rythme cardiaque	1° Zone: -hypothalamus 2° Glandes: -surrénales -hypophyse 3° Eléments: -feu -métal -eau	1° Vert 2° Blanc 3° Bleu(IG) Blanc(GI) Bleu(V)	Jaune Noir Rouge(C) Rouge(P) Jaune(R)	1° La 2° Sol 3° Ré(IG) Sol(GI) Ré(V)	Fa Ré Do(C) Do(P) Fa(R)
16, 26 int. et ext., 28, 21						
Bradycardie	Ralentissement du rythme cardiaque (moins de soixante pulsations par minute)	1° Zone: -hypothalamus 2° Glandes: -surrénales -thyroïde -hypophyse 3° Eléments: -feu -eau	1° Vert 2° Blanc 3° Bleu(IG) Bleu(V)	Jaune Noir Rouge(C) Jaune(R)	1° La 2° Sol 3° Ré(IG) Ré(V)	Fa Ré Do(C) Fa(R)
35, 34, 6						

Système Cardio-vasculaire

Problèmes de santé	Description	Etapes	Couleurs		Sons	
			V:Sortir A:Entrer	Entrer Sortir	A:Sortir V:Entrer	Entrer Sortir
Fièvre rhumatismale	Inflammation du tissu conjonctif entourant les articulations	1° Zone: -tissu conjonctif entourant les articulations	1° Vert	Jaune	1° La	Fa
Points à masser dans les oreilles:		2° Glandes: -ovaires -surrénales -thymus -thyroïde -hypophyse	2° Blanc	Noir	2° Sol	Ré
Voir un médecin		3° Elément: -feu	3° Bleu(IG)	Rouge(C)	3° Ré(IG)	Do(C)
1, 26 int., 25						
Hémorragie cérébrale	Effusion de sang hors des artères du cerveau provoquant de la paralysie, une perte de connaissance et même des dommages au cerveau	1° Zone: -cerveau	1° Vert	Jaune	1° La	Fa
		2° Glandes: -parathyroïdes -hypophyse	2° Blanc	Noir	2° Sol	Ré
Voir un médecin 1, 26 int., 21		3° Elément: -bois	3° Blanc(VB)	Vert(F)	3° Sol(VB)	La(F)
Hémorroïdes	Varices formées à l'anus et au rectum par la dilatation des veines	1° Zone: -rectum	1° Vert	Jaune	1° La	Fa
		2° Glandes: -ovaires ou -testicules -surrénales -thymus	2° Blanc	Noir	2° Sol	Ré
26 int., 31, 12 int., 24		3° Eléments: -métal -bois	3° Blanc(GI) Blanc(VB)	Rouge(P) Vert(F)	3° Sol(GI) Sol(VB)	Do(P) La(F)

Système Cardio-vasculaire

Problèmes de santé	Description	Etapes	Couleurs V:Sortir A:Entrer	Couleurs Entrer Sortir	Sons A:Sortir V:Entrer	Sons Entrer Sortir

Hypertension	Tension artérielle supérieure à la normale	1° Zone:
		  -hypothalamus
		2° Glandes:
		  -surrénales
		  -thyroïde
		  -hypophyse
		3° Éléments:
		  -eau
		  -métal
			1° Vert
			2° Blanc
			
			3°
			Bleu(V)
			Blanc(GI)
				Jaune
				Noir
				
				Jaune(R)
				Rouge(P)
					1° La
					2° Sol
					
					3°
					Ré(V)
					Sol(GI)
						Fa
						Ré
						
						Fa(R)
						Do(P)

Points à masser dans les oreilles: 17, 21, 8 int., 24						

Hypotension	Tension artérielle inférieure à la normale	1° Zone:
		  -hypothalamus
		2° Glandes:
		  -surrénales
		  -thyroïde
		  -hypophyse
		3° Éléments:
		  -eau
		  -métal
			1° Vert
			2° Blanc
			
			3°
			Bleu(V)
			Blanc(GI)
				Jaune
				Noir
				
				Jaune(R)
				Rouge(P)
					1° La
					2° Sol
					
					3°
					Ré(V)
					Sol(GI)
						Fa
						Ré
						
						Fa(R)
						Do(P)

34, 35, 27						

Infarctus du myocarde	Nécrose d'une partie du muscle cardiaque	1° Zones:
		  -coeur
		  -plexus solaire
		2° Glandes:
		  -surrénales
		3° Éléments:
		  -feu
		  -métal
			1° Vert
			
			2° Blanc
			
			3°
			Bleu(IG)
			Blanc(GI)
				Jaune
				
				Noir
				
				Rouge(C)
				Rouge(P)
					1° La
					
					2° Sol
					
					3°
					Ré(IG)
					Sol(GI)
						Fa
						
						Ré
						
						Do(C)
						Do(P)

Voir un médecin 16, 26 int., 21, 24, 10						

Système Cardio-vasculaire

Problèmes de santé	Description	Etapes	Couleurs		Sons	
			V:Sortir A:Entrer	Entrer Sortir	A:Sortir V:Entrer	Entrer Sortir
Occlusion coronarienne	Obstruction d'une artère alimentant le coeur, causée par de l'artériosclérose, une embolie ou une thrombose	1° Zone: -coeur -plexus solaire 2° Glandes: -tout le système endocrinien 3° Eléments: -métal -eau	1° Vert 2° Blanc 3° Blanc(GI) Bleu(V)	Jaune Noir Rouge(P) Jaune(R)	1° La 2° Sol 3° Sol(GI) Ré(V)	Fa Ré Do(P) Fa(R)
Points à masser dans les oreilles: Voir un médecin 26 int., 28, 19 int.						
Phlébite	Inflammation d'une veine, accompagnée de la formation d'un caillot de sang, souvent localisée aux jambes	1° Zone: -région concernée 2° Glandes: -ovaires ou -testicules -surrénales -thyroïde 3° Eléments: -bois -métal	1° Vert 2° Blanc 3° Blanc(VB) Blanc(GI)	Jaune Noir Vert(F) Rouge(P)	1° La 2° Sol 3° Sol(VB) Sol(GI)	Fa Ré La(F) Do(P)
Voir un médecin 35, 11, 25						
Raynaud (maladie de)	Troubles spastiques de la vaso-dilatation des vaisseaux sanguins des extrémités du corps	1° Zone: -hypothalamus 2° Glandes: -ovaires ou -testicules -surrénales -thyroïde 3° Eléments: -feu -bois	1° Vert 2° Blanc 3° Bleu(IG) Blanc(VB)	Jaune Noir Rouge(C) Vert(F)	1° La 2° Sol 3° Ré(IG) Sol(VB)	Fa Ré Do(C) La(F)
16, 1, 28, 21						

Système Cardio-vasculaire

Problèmes de santé	Description	Etapes	Couleurs V:Sortir A:Entrer	Couleurs Entrer Sortir	Sons A:Sortir V:Entrer	Sons Entrer Sortir
Saignement de nez Points à masser dans les oreilles: 2, 9, 11	Ecoulement anormal de sang provenant des parois nasales	1° Zone: -nez 2° Glandes: -surrénales 3° Elément: -eau	1° Vert 2° Blanc 3° Bleu(V)	Jaune Noir Jaune(R)	1° La 2° Sol 3° Ré(V)	Fa Ré Fa(R)
Tachycardie 26 ext., 34, 21, 24	Accélération du rythme des battements du coeur	1° Zone: -hypothalamus 2° Glandes: -surrénales -thyroïde 3° Eléments: -métal -eau	1° Vert 2° Blanc 3° Blanc(GI) Bleu(V)	Jaune Noir Rouge(P) Jaune(R)	1° La 2° Sol 3° Sol(GI) Ré(V)	Fa Ré Do(P) Fa(R)
Taux anormal de cholestérol 26 ext., 11, 32	Quantité anormalement élevée de cholestérol dans l'organisme (cerveau, plasma sanguin, bile) pouvant provoquer l'artériosclérose et former des calculs biliaires	1° Zone: -tout le système circulatoire 2° Glande: -thyroïde 3° Elément: -bois	1° Vert 2° Blanc 3° Blanc(VB)	Jaune Noir Vert(F)	1° La 2° Sol 3° Sol(VB)	Fa Ré La(F)

Système Cardio-vasculaire

Problèmes de santé	Description	Etapes	Couleurs			Sons		
			V:Sortir A:Entrer	Entrer Sortir		A:Sortir V:Entrer	Entrer Sortir	
Thrombose	Formation d'un caillot dans un vaisseau sanguin ou dans une des cavités du coeur	1° Zone: -région concernée	1° Vert	Jaune		1° La	Fa	
Points à masser dans les oreilles:		2° Glandes: -surrénales -parathyroïdes	2° Blanc	Noir		2° Sol	Ré	
Voir un médecin 35, 11, 25		3° Elément: -bois	3° Blanc(VB)	Vert(F)		3° Sol(VB)	La(F)	
Varices	Dilatation permanente d'une veine	1° Zone: -région concernée	1° Vert	Jaune		1° La	Fa	
		2° Glandes: -pancréas -surrénales -thyroïde -hypophyse	2° Blanc	Noir		2° Sol	Ré	
22, 14, 25		3° Eléments: -bois -métal -feu	3° Blanc(VB) Blanc(GI) Bleu(IG)	Vert(F) Rouge(P) Rouge(C)		3° Sol(VB) Sol(GI) Ré(IG)	La(F) Do(P) Do(C)	

Système digestif

Élément Terre (Estomac, rate-pancréas)

Visuel: Sortir Vert (E)   Rentrer Jaune (RP)
Auditif: Sortir La (E)   Rentrer Fa (RP)

Pour gros intestin, voir système respiratoire et pour vésicule biliaire-foie, voir système musculaire

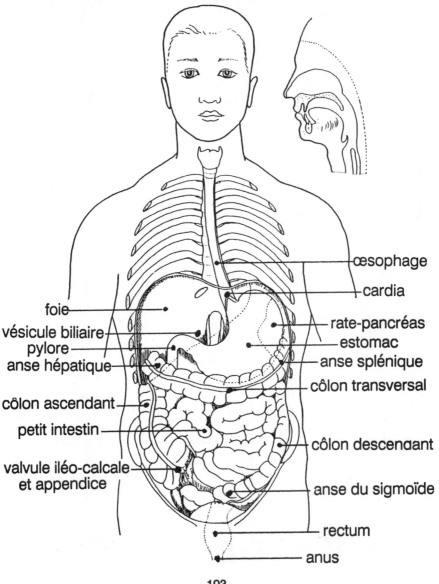

œsophage

cardia

foie

vésicule biliaire

pylore

anse hépatique

rate-pancréas

estomac

anse splénique

côlon transversal

côlon ascendant

petit intestin

côlon descendant

valvule iléo-calcale
et appendice

anse du sigmoïde

rectum

anus

Système Digestif

Problèmes de santé	Description	Etapes	Couleurs V:Sortir A:Entrer	Entrer Sortir	Sons A:Sortir V:Entrer	Entrer Sortir
Acidité stomacale Points à masser dans les oreilles: 35, 6, 21	Quantité d'acide chlorydrique dans le suc gastrique causant des "brûlements" si cet acide est en excès	1° Zone: -estomac 2° Glandes: -pancréas -surrénales 3° Elément: -bois	1° Vert 2° Blanc 3° Blanc(VB)	Jaune Noir Vert(F)	1° La 2° Sol 3° Sol(VB)	Fa Ré La(F)
Aérocolie, aérophagie et ballonnements intestinaux 26 ext., 6, et 31 si aérocolie	Troubles caractérisés par la sensation d'une présence d'air dans les voies digestives	1° Zone: -estomac (pour aérocolie) -intestin grêle (pour ballonnement) -côlon (pour aérocolie) 2° Glandes: -pancréas -surrénales -thyroïde 3° Eléments: -métal -feu	1° Vert 2° Blanc 3° Blanc(GI) Bleu(IG)	Jaune Noir 3° Rouge(P) Rouge(C)	1° La 2° Sol 3° Sol(GI) Ré(IG)	Fa Ré Do(P) Do(C)
Anorexie 33, 6, 11	Perte ou diminution de l'appétit	1° Zone: -hypothalamus 2° Glandes: -ovaires ou -testicules -pancréas -thyroïde 3° Eléments: -feu -bois	1° Vert 2° Blanc 3° Bleu(IG) Blanc(VB)	Jaune Noir Rouge(C) Vert(F)	1° La 2° Sol 3° Ré(IG) Sol(VB)	Fa Ré Do(C) La(F)

Système Digestif

Problèmes de santé	Description	Etapes	Couleurs		Sons	
			V:Sortir A:Entrer	Entrer Sortir	A:Sortir V:Entrer	Entrer Sortir

Appendicite
 	
Points à masser dans les oreilles:
 	
Voir un médecin
 	
35, 31
	Inflammation de l'appendice	1° Zone:
		  -appendice
		2° Glandes:
		  -surrénales
		  -thymus
		3° Elément:
		  -bois
		  -métal
			1° Vert
			
			2° Blanc
			
			3°
			Blanc(VB)
			Blanc(GI)
				1° Jaune
				
				2° Noir
				
				3°
				Vert(F)
				Rouge(P)
					1° La
					
					2° Sol
					
					3°
					Sol(VB)
					Sol(GI)
						1° Fa
						
						2° Ré
						
						3°
						La(F)
						Do(P)

Boulimie
 	
17, 26 int. et ext., 21
	Sensation de faim exagérée avec besoin irrésistible d'absorber une grande quantité d'aliments	1° Zone:
		  -hypothalamus
		2° Glandes:
		  -organes génitaux
		  -thyroïde
		  -hypophyse
		3° Eléments:
		  -feu
		  -bois
			1° Vert
			
			2° Blanc
			
			3°
			Bleu(IG)
			Blanc(VB)
				1° Jaune
				
				2° Noir
				
				3°
				Rouge(C)
				Vert(F)
					1° La
					
					2° Sol
					
					3°
					Ré(IG)
					Sol(VB)
						1° Fa
						
						2° Ré
						
						3°
						Do(C)
						La(F)

Calculs biliaires
 	
26 ext., 21, 11
	Particules de lipides, surtout de cholestérol, qui se cristallisent dans la vésicule biliaire ou dans les conduits biliaires	1° Zone:
		  -vésicule biliaire
		2° Glande:
		  -thyroïde
		3° Elément:
		  -bois
			1° Vert
			
			2° Blanc
			
			3°
			Blanc(VB)
				1° Jaune
				
				2° Noir
				
				3°
				Vert(F)
					1° La
					
					2° Sol
					
					3°
					Sol(VB)
						1° Fa
						
						2° Ré
						
						3°
						La(F)

Système Digestif

Problèmes de santé	Description	Etapes	Couleurs		Sons	
			V:Sortir A:Entrer	Entrer Sortir	A:Sortir V:Entrer	Entrer Sortir
Cauchemars	Rêves pénibles angoissants	1° Zone: -hypothalamus 2° Glandes: -pancréas -épiphyse 3° Elément: -bois	1° Vert 2° Blanc 3° Blanc(VB)	Jaune Noir Vert(F)	1° La 2° Sol 3° Sol(VB)	Fa Ré La(F)
Points à masser dans les oreilles: 1, 17, 27						
Cirrhose du foie	Affection du foie caractérisée par des granulations d'un jaune roux	1° Zone: -foie 2° Glandes: -tout le système endocrinien 3° Eléments: -bois -eau	1° Vert 2° Blanc 3° Blanc(VB) Bleu(V)	Jaune Noir Vert(F) Jaune(R)	1° La 2° Sol 3° Sol(VB) Ré(V)	Fa Ré La(F) Fa(R)
Voir un médecin 21, 11						
Colique	Douleurs violentes ressenties au niveau des organes abdominaux	1° Zone: -abdomen 2° Glandes: -pancréas -surrénales -thyroïde 3° Elément: -métal	1° Vert 2° Blanc 3° Blanc(GI)	Jaune Noir Rouge(P)	1° La 2° Sol 3° Sol(GI)	Fa Ré Do(P)
9, 11, 24						

Système Digestif

Problèmes de santé	Description	Etapes	Couleurs V:Sortir A:Entrer	Couleurs Entrer Sortir	Sons A:Sortir V:Entrer	Sons Entrer Sortir
Colite	Inflammation du gros intestin	1° Zone: -gros intestin	1° Vert	Jaune	1° La	Fa
		2° Glandes: -surrénales -thymus	2° Blanc	Noir	2° Sol	Ré
Points à masser dans les oreilles: 35, 21, 31		3° Eléments: -bois -métal -eau	3° Blanc(VB) Blanc(Gl) Bleu(V)	Vert(F) Rouge(P) Jaune(R)	3° Sol(VB) Sol(Gl) Ré(V)	La(F) Do(P) Fa(R)
Constipation	Difficulté dans l'évacuation des selles	1° Zone: -gros intestin, en particulier l'anse du sigmoïde	1° Vert	Jaune	1° La	Fa
		2° Glandes: -surrénales	2° Blanc	Noir	2° Sol	Ré
21, 11, 31		3° Eléments: -bois -métal -eau	3° Blanc(VB) Blanc(Gl) Bleu(V)	Vert(F) Rouge(P) Jaune(R)	3° Sol(VB) Sol(Gl) Ré(V)	La(F) Do(P) Fa(R)
Diabète	Troubles chroniques du métabolisme causés par une sécrétion insuffisante d'insuline	1° Zone: -pancréas	1° Vert	Jaune	1° La	Fa
		2° Glandes: -pancréas -surrénales -hypophyse	2° Blanc	Noir	2° Sol	Ré
33, 9, 11		3° Elément: -bois	3° Blanc(VB)	Vert(F)	3° Sol(VB)	La(F)

Système Digestif

Problèmes de santé	Description	Etapes	Couleurs		Sons	
			V:Sortir A:Entrer	Entrer Sortir	A:Sortir V:Entrer	Entrer Sortir
Diarrhée	Evacuation fréquente de selles liquides	1° Zone: -gros intestin, en particulier la valvule iléo-caecale 2° Glandes: -surrénales 3° Eléments: -bois -métal	1° Vert 2° Blanc 3° Blanc(VB) Blanc(GI)	Jaune Noir Vert(F) Rouge(P)	1° La 2° Sol 3° Sol(VB) Sol(GI)	Fa Ré La(F) Do(P)
Points à masser dans les oreilles: 6, 9, 31 ou 12 int.						
Diverticulite	Inflammation des diverticules (hernies dans la paroi du gros intestin)	1° Zone: -gros intestin, surtout le côlon descendant et l'anse du sigmoïde 2° Glandes: -surrénales -thymus 3° Eléments: -bois -métal	1° Vert 2° Blanc 3° Blanc(VB) Blanc(GI)	Jaune Noir Vert(F) Rouge(P)	1° La 2° Sol 3° Sol(VB) Sol(GI)	Fa Ré La(F) Do(P)
35, 21, 31						
Fissure et fistule anales	Problème du sphincter anal causant souvent des saignements et des démangeaisons	1° Zones: -anus -rectum 2° Glandes: -ovaires ou -testicules -surrénales -thymus 3° Eléments: -métal -bois	1° Vert 2° Blanc 3° Blanc(GI) Blanc(VB)	Jaune Noir 3° Rouge(P) Vert(F)	1° La 2° Sol 3° Sol(GI) Sol(VB)	Fa Ré 3° Do(P) La(F)
8 int, 31, 12 int.						

Système Digestif

Problèmes de santé	Description	Etapes	Couleurs		Sons	
			V:Sortir A:Entrer	Entrer Sortir	A:Sortir V:Entrer	Entrer Sortir
Flatulence Points à masser dans les oreilles: 26 ext., 6, 31	Accumulation de gaz dans les intestins se traduisant par un ballonnement abdominal	1° Zone: -gros intestin, surtout l'anse du sigmoïde 2° Glande: -pancréas 3° Eléments: -feu -bois	1° Vert 2° Blanc 3° Bleu(IG) Blanc(VB)	Jaune Noir Rouge(C) Vert(F)	1° La 2° Sol 3° Ré(IG) Sol(VB)	Fa Ré Do(C) La(F)
Gastralgie 6, 21, 24	Douleur vive localisée au niveau de l'estomac	1° Zone: -estomac 2° Glandes: -pancréas -surrénales 3° Elément: -bois	1° Vert 2° Blanc 3° Blanc(VB)	Jaune Noir Vert(F)	1° La 2° Sol 3° Sol(VB)	Fa Ré La(F)
Haleine (mauvaise haleine) 6, 9, 11, 31	L'haleine est forte et sentant mauvais	1° Zone: -tube digestif 2° Glandes: -thymus -thyroïde 3° Eléments: -bois -feu -métal	1° Vert 2° Blanc 3° Blanc(VB) Bleu(IG) Blanc(GI)	Jaune Noir Vert(F) Rouge(C) Rouge(P)	1° La 2° Sol 3° Sol(VB) Ré(IG) Sol(GI)	Fa Ré La(F) Do(C) Do(P)

Système Digestif

Problèmes de santé	Description	Etapes	Couleurs V:Sortir A:Entrer	Couleurs Entrer Sortir	Sons A:Sortir V:Entrer	Sons Entrer Sortir
Hémorroïdes	Varices formées à l'anus et au rectum par la dilatation des veines	1° Zone: -rectum 2° Glandes: -ovaires ou -testicules -surrénales -thymus 3° Eléments: -métal -bois	1° Vert 2° Blanc 3° Blanc(GI) Blanc(VB)	1° Jaune 2° Noir 3° Rouge(P) Vert(F)	1° La 2° Sol 3° Sol(GI) Sol(VB)	1° Fa 2° Ré 3° Do(P) La(F)
Points à masser dans les oreilles: 26 int., 35, 31, 12 int.						
Hépatite	Affection inflammatoire du foie	1° Zone: -foie 2° Glandes: -surrénales -thymus 3° Eléments: -eau -métal	1° Vert 2° Blanc 3° Bleu(V) Blanc(GI)	1° Jaune 2° Noir 3° Jaune(R) Rouge(P)	1° La 2° Sol 3° Ré(V) Sol(GI)	1° Fa 2° Ré 3° Fa(R) Do(P)
Voir un médecin 35, 21, 11						
Hernie	Tumeur molle formée par un organe, totalement ou partiellement, sorti de la cavité qui le contient à l'état normal	1° Zones: -aine pour hernie inguinale -estomac et diaphragme pour hernie hiatale 2° Glandes: -surrénales 3° Elément: -bois	1° Vert 2° Blanc 3° Blanc(VB)	1° Jaune 2° Noir 3° Vert(F)	1° La 2° Sol 3° Sol(VB)	1° Fa 2° Ré 3° La(F)
Région concernée et 9, 11						

Système Digestif

Problèmes de santé	Description	Etapes	Couleurs		Sons	
			V:Sortir A:Entrer	Entrer Sortir	A:Sortir V:Entrer	Entrer Sortir
Hypoglycémie	Diminution ou insuffisance du taux de glucose(sucre) dans le sang causée par une sécrétion excessive d'insuline	1° Zone: -hypothalamus 2° Glandes: -pancréas -surrénales -hypophyse 3° Elément: -bois	1° Vert 2° Blanc 3° Blanc(VB)	Jaune Noir Vert(F)	1° La 2° Sol 3° Sol(VB)	Fa Ré La(F)
Points à masser dans les oreilles: 33, 6, 21, 9						
Indigestion	Indisposition momentanée dûe à une digestion qui se fait mal ou incomplètement	1° Zones: -estomac -pancréas 2° Glande: -pancréas 3° Eléments: -bois -feu -métal	1° Vert 2° Blanc 3° Blanc(VB) Bleu(IG) Blanc(GI)	Jaune Noir Vert(F) Rouge(C) Rouge(P)	1° La 2° Sol 3° Sol(VB) Ré(IG) Sol(GI)	Fa Ré La(F) Do(C) Do(P)
26 int. et ext., 6, 21, 11						
Jaunisse	Coloration jaune de la peau et des muqueuses due à des pigments biliaires dans les tissus	1° Zone: -hypothalamus 2° Glande: -pancréas 3° Elément: -bois	1° Vert 2° Blanc 3° Blanc(VB)	Jaune Noir Vert(F)	1° La 2° Sol 3° Sol(VB)	Fa Ré La(F)
Voir un médecin 1, 21, 11						

Système Digestif

Problèmes de santé	Description	Etapes	Couleurs		Sons	
			V:Sortir A:Entrer	Entrer Sortir	A:Sortir V:Entrer	Entrer Sortir
Mal de dents Points à masser dans les oreilles: 1, 3, 17, 11	Douleur aux dents et aux gencives	1° Zones: -gencives -dents 2° Glande: -thymus 3° Elément: -métal	1° Vert 2° Blanc 3° Blanc(GI)	Jaune Noir Rouge(P)	1° La 2° Sol 3° Sol(GI)	Fa Ré Do(P)
Nausée 6, 21, 11 tirer le lobe au no 16	Envie de vomir qui n'aboutit pas au vomissement	1° Zone: -estomac 2° Glandes: -pancréas -surrénales -hypophyse 3° Elément: -bois	1° Vert 2° Blanc 3° Blanc(VB)	Jaune Noir Vert(F)	1° La 2° Sol 3° Sol(VB)	Fa Ré La(F)
Obésité 27, 21, 32	Excédent de poids	1° Zone: -hypothalamus 2° Glandes: -ovaires ou -testicules -thyroïde -hypophyse 3° Elément: -bois	1° Vert 2° Blanc 3° Blanc(VB)	Jaune Noir Vert(F)	1° La 2° Sol 3° Sol(VB)	Fa Ré La(F)

Système Digestif

Problèmes de santé	Description	Etapes	Couleurs		Sons	
			V:Sortir A:Entrer	Entrer Sortir	A:Sortir V:Entrer	Entrer Sortir
Ulcère	Lésion des muqueuses	1° Zone: -région concernée	1° Vert	Jaune	1° La	Fa
Points à nasser dans les oreilles:		2° Glandes: -surrénales	2° Blanc	Noir	2° Sol	Ré
Région concernée et 26 ext., 35, 6, 21		3° Éléments: -feu -métal	3° Bleu(IG) Blanc(Gl)	Rouge(C) Rouge(P)	3° Ré(IG) Sol(Gl)	Do(C) Do(P)
Vomissement	Rejet du contenu de l'estomac	1° Zone: -estomac	1° Vert	Jaune	1° La	Fa
		2° Glandes: -pancréas -surrénales -hypophyse	2° Blanc	Noir	2° Sol	Ré
16, 6, 11		3° Élément: -bois	3° Blanc(VB)	Vert(F)	3° Sol(VB)	La(F)

Système endocrinien

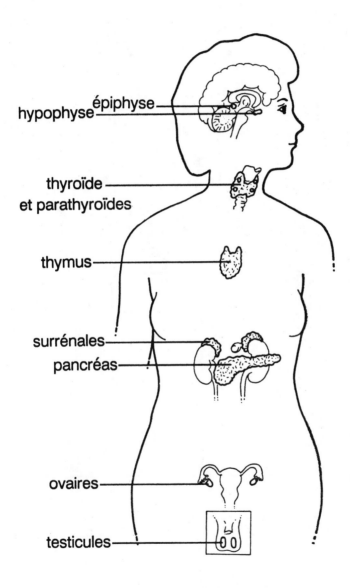

Système Endocrinien

Problèmes de santé	Description	Etapes	Couleurs V:Sortir A:Entrer	Couleurs Entrer Sortir	Sons A:Sortir V:Entrer	Sons Entrer Sortir
Allergie Points à masser dans les oreilles: 19 int., 21, 24	Réaction inflammatoire à différentes substances toxiques pour l'organisme (aliments, vêtements, ou autres matières de l'environnement)	1° Zone: -région concernée 2° Glandes: -pancréas -surrénales 3° Eléments: -bois -métal	1° Vert 2° Blanc 3° Blanc(VB) Blanc(GI)	Jaune Noir Vert(F) Rouge(P)	1° La 2° Sol 3° Sol(VB) Sol(GI)	Fa Ré La(F) Do(P)
Arthrite et rhumatisme Région concernée et 21, 11, 31, 15	Inflammation des articulations, des tendons et des muscles	1° Zone: -région concernée 2° Glandes: -tout le système endocrinien 3° Eléments: -bois -métal -eau	1° Vert 2° Blanc 3° Blanc(VB) Blanc(GI) Bleu(V)	Jaune Noir Vert(F) Rouge(P) Jaune(R)	1° La 2° Sol 3° Sol(VB) Sol(GI) Ré(V)	Fa Ré La(F) Do(P) Fa(R)
Asthme 4, 21, 11, 24	Spasme des bronches qui nuit surtout à l'expiration et qui s'accompagne souvent d'une augmentation de sécrétions bronchiques	1° Zone: -tout le système respiratoire 2° Glandes: -surrénales 3° Eléments: -métal -bois	1° Vert 2° Blanc 3° Blanc(GI) Blanc(VB)	Jaune Noir Rouge(P) Vert(F)	1° La 2° Sol 3° Sol(GI) Sol(VB)	Fa Ré Do(P) La(F)

Système Endocrinien

Problèmes de santé	Description	Etapes	Couleurs V:Sortir A:Entrer	Entrer Sortir	Sons A:Sortir V:Entrer	Entrer Sortir
Crampe	Spasme musculaire douloureux	1° Zone: -région concernée 2° Glandes: -surrénales -parathyroïdes 3° Elément: -Eau	1° Vert 2° Blanc 3° Bleu(V)	Jaune Noir Jaune(B)	1° La 2° Sol 3° Ré(V)	La Ré Fa(R)
Points à masser dans les oreilles: 28, 19, 21, 22						
Evanouissement	Perte de conscience	1° Zone: -tête 2° Glandes: -surrénales -pancréas -hypophyse 3° Elément: -feu	1° Vert 2° Blanc 3° Bleu(IG)	Jaune Noir Rouge(C)	1° La 2° Sol 3° Ré(IG),	Fa Ré Do(C)
34, 27, 21						
Fatigue	Manque d'énergie	1° Zone: -système nerveux 2° Glandes: -rate-pancréas -surrénales -thymus -thyroïde 3° Eléments: -bois -eau	1° Vert 2° Blanc 3° Blanc(VB) Bleu(V)	Jaune Noir Vert(F) Jaune(R)	1° La 2° Sol 3° Sol(VB) Ré(V)	Fa Ré La(F) Fa(R)
1, 34, 21						

Système Endocrinien

Problèmes de santé	Description	Etapes	Couleurs		Sons	
			V:Sortir A:Entrer	Entrer Sortir	A:Sortir V:Entrer	Entrer Sortir
Fièvre	Elévation anormale de la température du corps	1° Zone: -hypothalamus	1° Vert	Jaune	1° La	La
Points à masser dans les oreilles:		2° Glande: -hypophyse	2° Blanc	Noir	2° Sol	Ré
1, 33, 34, 21, 11		3° Elément: -bois	3° Blanc(VB)	Vert(F)	3° Sol(VB)	La(F)
Frilosité	Difficulté à maintenir sa chaleur interne	1° Zone: -hypothalamus	1° Vert	Jaune	1° La	Fa
		2° Glandes: -gonades -surrénales -thyroïde	2° Blanc	Noir	2° Sol	Ré
34, 27, 11, 15 int.		3° Elément: -bois	3° Blanc(VB)	Vert(F)	3° Sol(VB)	La(F)
Goitre	Hypertrophie de la thyroïde	1° Zone: -hypothalamus	1° Vert	Jaune	1° La	Fa
		2° Glande: -thyroïde	2° Blanc	Noir	2° Sol	Ré
26, 6, 21		3° Elément: -feu	3° Bleu(IG)	Rouge(C)	3° Ré(IG)	Do(C)

Système Endocrinien

Problèmes de santé	Description	Etapes	Couleurs		Sons	
			V:Sortir A:Entrer	Entrer Sortir	A:Sortir V:Entrer	Entrer Sortir
Hypoglycémie Points à masser dans les oreilles: 33, 6, 21, 9	Taux de sucre (glucose) anormalement bas dans le sang, dû à une sécrétion trop grande d'insuline	1° Zone: -hypothalamus 2° Glandes: -pancréas -surrénales -hypophyse 3° Élément: -bois	1° Vert 2° Blanc 3° Blanc(VB)	Jaune Noir Vert(F)	1° La 2° Sol 3° Sol(VB)	Fa Ré La(F)
Hypotension 26 ext., 27, 34	Tension artérielle inférieure à la normale	1° Zone: -hypothalamus 2° Glandes: -surrénales -thyroïde -hypophyse 3° Élément: -eau	1° Vert 2° Blanc 3° Bleu(V)	Jaune Noir Jaune (R)	1° La 2° Sol 3° Ré(V)	Fa Ré Fa(R)
Infertilité 29, 21, 8 int.	Dysfonctionnement des organes reproducteurs causé par: obstruction des trompes de Fallope, ovulation irrégulière, libido supprimée, nombre insuffisant de spermatozoïdes, etc.	1° Zone: -système génital 2° Glandes: -ovaires ou -testicules -surrénales -hypophyse 3° Élément: -feu	1° Vert 2° Blanc 3° Bleu(IG)	Jaune Noir Rouge(C)	1° La 2° Sol 3° Ré(IG)	Fa Ré Do(C)

Système Endocrinien

Problèmes de santé	Description	Etapes	Couleurs V:Sortir A:Entrer	Couleurs Entrer Sortir	Sons A:Sortir V:Entrer	Sons Entrer Sortir
Inflammation	Réaction naturelle du corps dans une tentative d'auto-guérison	1° Zone: -région concernée	1° Vert	Jaune	1° La	Fa
Points à masser dans les oreilles:		2° Glandes: -surrénales -hypophyse	2° Blanc	Noir	2° Sol	Ré
Région concernée et 35		3° Elément: -bois	3° Blanc(VB)	Vert(F)	3° Sol(VB)	La(F)
Instabilité émotionnelle	Alternance entre la dépression et l'agitation	1° Zones: -plexus solaire -cerveau	1° Vert	Jaune	1° La	Fa
		2° Glandes: -surrénales -thyroïde	2° Blanc	Noir	2° Sol	Ré
17, 26 ext., 21		3° Eléments: -métal -eau	3° Blanc(GI) Bleu(V)	Rouge(P) Jaune(R)	3° Sol(GI) Ré(V)	Do(P) Fa(R)
Maigreur excessive	Insuffisance de poids	1° Zone: -hypothalamus	1° Vert	Jaune	1° La	Fa
		2° Glande: -thyroïde	2° Blanc	Noir	2° Sol	Ré
26 int. et ext., 27, 11		3° Eléments: -bois -feu	3° Blanc(VB) Bleu(IG)	Vert(F) Rouge(C)	3° Sol(VB) Ré(IG)	La(F) Do(C)

Système Endocrinien

Problèmes de santé	Description	Etapes	Couleurs		Sons	
			V:Sortir A:Entrer	Entrer Sortir	A:Sortir V:Entrer	Entrer Sortir
Obésité	Excédent de poids	1° Zone: -hypothalamus	1° Vert	Jaune	1° La	Fa
		2° Glandes: -ovaires ou -testicules -thyroïde -hypophyse	2° Blanc	Noir	2° Sol	Ré
Points à masser dans les oreilles:		3° Elément: -bois	3° Blanc(VB)	Vert(F)	3° Sol(VB)	La(F)
27, 21, 32						
Ostéoroporose	Décalcification des os qui deviennent poreux	1° Zone: -région concernée	1° Vert	Jaune	1° La	Fa
		2° Glandes: -ovaires ou -testicules -surrénales -parathyroïdes	2° Blanc	Noir	2° Sol	Ré
Région concernée et 29, 35		3° Elément: -eau	3° Bleu(V)	Jaune(R)	3° Ré(V)	Fa(R)
Problèmes reliés à la ligature des trompes de Fallope	Dérèglement hormonal provoquant des nausées, des maux de tête, etc.	1° Zone: -système génital	1° Vert	Jaune	1° La	Fa
		2° Glandes: -ovaires -hypophyse	2° Blanc	Noir	2° Sol	Ré
29, 33, 27, 12 int.		3° Eléments: -feu -bois	3° Bleu(IG) Blanc(VB)	Rouge(C) Vert(F)	3° Ré(IG) Sol(VB)	Do(C) La(F)

Système Endocrinien

Problèmes de santé	Description	Etapes	Couleurs — V:Sortir A:Entrer	Couleurs — Entrer Sortir	Sons — A:Sortir V:Entrer	Sons — Entrer Sortir
Sécheresse de la peau Points à masser dans les oreilles: 26 ext., 19 int., 15 int., 24	Epiderme couvert d'une couche de cellules mortes et sèches, par suite d'un ralentissement de la régénération cellulaire	1° Zone: -région concernée 2° Glandes: -surrénales -thyroïde 3° Eléments: -métal -bois	1° Vert 2° Blanc 3° Blanc(Gl) Blanc(VB)	Jaune Noir Rouge(P) Vert(F)	1° La 2° Sol 3° Sol(Gl) Sol(VB)	Fa Ré Do(P) La(F)
Stress 26 ext., 19 ext., 21, 13	Réponse de l'organisme aux facteurs d'agression physiologiques et psychologiques	1° Zones: -plexus solaire -cerveau 2° Glandes: -surrénales 3 Eléments: -eau -métal	1° Vert 2° Blanc 3° Blanc(Gl) Bleu(V)	Jaune Noir Rouge(P) Jaune(R)	1° La 2° Sol 3° Sol(Gl) Ré(V)	Fa Ré Do(P) Fa(R)
Taux anormal de cholestérol 26 ext., 21, 11, 24	Quantité anormalement élevée de cholestérol dans l'organisme (cerveau, plasma sanguin, bile) pouvant provoquer l'artériosclérose et former des calculs biliaires	1° Zone: -système circulatoire; en particulier les artères 2° Glande: -thyroïde 3° Elément: -bois	1° Vert 2° Blanc(VB) 3° Vert(F)	Jaune Noir	1° La 2° Sol 3° Sol(VB)	Fa Ré La(F)

Système Endocrinien

Problèmes de santé	Description	Etapes	Couleurs		Sons	
			V:Sortir A:Entrer	Entrer Sortir	A:Sortir V:Entrer	Entrer Sortir
Tumeur, kyste et verrue	Prolifération anormale de cellules	1° <u>Zone:</u> -région concernée 2° <u>Glandes:</u> -ovaires ou -testicules -hypophyse 3° <u>Elément:</u> -bois	1° Vert 2° Blanc 3° Blanc(VB)	Jaune Noir Vert(F)	1° La 2° Sol 3° Sol(VB)	Fa Ré La(F)
Points à masser dans les oreilles: 8 int., 15 int., 24						
Vieillesse prématurée	Usure excessive de l'organisme	1° <u>Zone:</u> -hypothalamus 2° <u>Glandes:</u> -tout le système endocrinien 3° <u>Elément:</u> -bois	1° Vert 2° Blanc 3° Blanc(VB)	Jaune Noir Vert(F)	1° La 2° Sol 3° Sol(VB)	Fa Ré La(F)
26 int. et ext., 6, 21						

Système génital

Élément Feu

Visuel: Sortir Bleu   Rentrer Rouge
Auditif: Sortir Ré   Rentrer Do

Pour ovaires et prostate, voir système endocrinien

femme

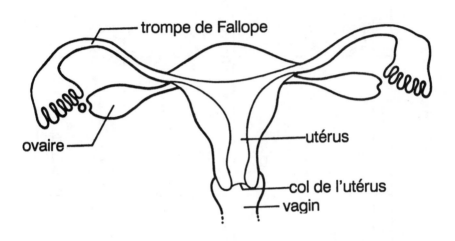

homme

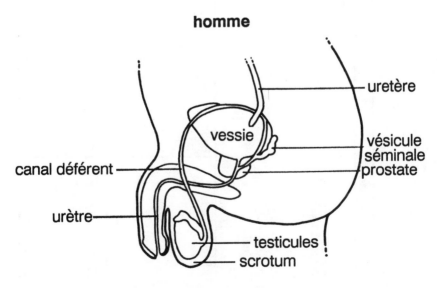

Système Génital

Problèmes de santé	Description	Etapes	Couleurs		Sons	
			V:Sortir A:Entrer	Entrer Sortir	A:Sortir V:Entrer	Entrer Sortir
Accouchement	Sortie de l'enfant hors du corps de sa mère	1° Zone: -utérus 2° Glandes: -ovaires -surrénales -hypophyse 3° Eléments: -feu -bois	1° Vert 2° Blanc 3° Bleu(IG) Blanc(VB)	Jaune Noir Rouge(C) Vert(F)	1° La 2° Sol 3° Ré(IG) Sol(VB)	Fa Ré Do(C) La(F)
Points à masser dans les oreilles: 17, 8 int, 12 int.						
Affections de la prostate	Habituellement, inflammation et hypertrophie de la prostate se traduisant par des mictions pénibles	1° Zone: -prostate 2° Glandes: -testicules -surrénales -hypophyse 3° Eléments: -eau -bois	1° Vert 2° Blanc 3° Bleu(V) Blanc(VB)	Jaune Noir Jaune(R) Vert(F)	1° La 2° Sol 3° Ré(V) Sol(VB)	Fa Ré Fa(R) La(F)
26 int, 35, 8 int.						
Allaitement	Alimentation en lait de nourrisson	1° Zone: -hypothalamus 2° Glandes: -ovaires -hypophyse 3° Elément: -feu	1° Vert 2° Blanc 3° Bleu(IG)	Jaune Noir Rouge(C)	1° La 2° Sol 3° Ré(IG)	Fa Ré Do(C)
27, 21, 8 int.						

Système Génital

Problèmes de santé	Description	Etapes	Couleurs			Sons		
			V:Sortir A:Entrer	Entrer Sortir		A:Sortir V:Entrer	Entrer Sortir	
Aménorrhée	Absence de flux menstruel chez une femme en âge d'être réglée	1° Zone: -hypothalamus 2° Glandes: -ovaires -surrénales -hypophyse 3° Eléments: -feu -bois	1° Vert 2° Blanc 3° Bleu(IG) Blanc(VB)	Jaune Noir Rouge(C) Vert(F)		1° La 2° Sol 3° Ré(IG) Sol(VB)	Fa Ré Do(C) La(F)	
Points à masser dans les oreilles: 17, 26 int, 29, 8 int.								
Bouffée de chaleur	Symptômes naturels chez la femme atteignant la ménopause	1° Zone: -hypothalamus 2° Glandes: -ovaires -surrénales -hypophyse 3° Eléments: -feu -bois	1° Vert 2° Blanc 3° Bleu(IG) Blanc(VB)	Jaune Noir Rouge(C) Vert(F)		1° La 2° Sol 3° Ré(IG) Sol(VB)	Fa Ré Do(C) La(F)	
17, 26 int, 29, 8 int.								
Congestion les seins	Gonflement de ganglions lymphatiques des seins	1° Zone: -sein 2° Glandes: -ovaires -surrénales -hypophyse 3° Eléments: -feu -bois	1° Vert 2° Blanc 3° Bleu(IG) Blanc(VB)	Jaune Noir Rouge(C) Vert(F)		1° La 2° Sol 3° Ré(IG) Sol(VB)	Fa Ré Do(C) La(F)	
19 int, 21, 8 int.								

Système Génital

Problèmes de santé	Description	Etapes	Couleurs		Sons	
			V:Sortir A:Entrer	Entrer Sortir	A:Sortir V:Entrer	Entrer Sortir
Crampes menstruelles	Crampes abdominales associées à la période menstruelle	1° Zone: -région douloureuse	1° Vert	Jaune	1° La	Fa
Points à masser dans les oreilles:		2° Glandes: -ovaires -parathyroïdes -hypophyse	2° Blanc	Noir	2° Sol	Ré
28, 19 int, 22		3° Éléments:	3°	3°	3°	
Presser la langue entre les lèvres		-feu -eau -bois	Bleu(IG) Bleu(V) Blanc(VB)	Rouge(C) Jaune(R) Vert(F)	Ré(IG) Ré(V) Sol(VB)	Do(C) Fa(R) La(F)
Dysménorrhée	Menstruations douloureuses et difficiles	1° Zone: -région douloureuse	1° Vert	Jaune	1° La	Fa
		2° Glandes: -ovaires -parathyroïdes -hypophyse	2° Blanc	Noir	2° Sol	Ré
		3° Éléments:	3°	3°	3°	
17, 26 int, 29, 8 int.		-feu -eau -bois	Bleu(IG) Bleu(V) Blanc(VB)	Rouge(C) Jaune(R) Vert(F)	Ré(IG) Ré(V) Sol(VB)	Do(C) Fa(R) La(F)
Fibrome	Tumeur formée par du tissu fibreux	1° Zone: -région concernée (souvent utérus)	1° Vert	Jaune	1° La	Fa
		2° Glandes: -ovaires -pancréas -hypophyse	2° Blanc	Noir	2° Sol	Ré
		3° Éléments:	3°	3°	3°	
17, 26 int, 29, 8 int.		-feu -bois	Bleu(IG) Blanc(VB)	Rouge(C) Vert(F)	Ré(IG) Sol(VB)	Do(C) La(F)

Système Génital

Problèmes de santé	Description	Etapes	Couleurs		Sons	
			V:Sortir A:Entrer	Entrer Sortir	A:Sortir V:Entrer	Entrer Sortir
Hystérectomie	Ablation de l'utérus et parfois des ovaires et des trompes de Fallope	1° Zones: -utérus -ovaires -trompes de Fallope 2° Glandes: -surrénales -thyroïde -hypophyse 3° Eléments: -feu -eau -bois	1° Vert 2° Blanc 3° Bleu(IG) Bleu(V) Blanc(VB)	Jaune Noir Rouge(C) Jaune(R) Vert(F)	1° La 2° Sol 3° Ré(IG) Ré(V) Sol(VB)	Fa Ré Do(C) Fa(R) La(F)
Points à masser dans les oreilles: 29, 35, 21						
Impuissance 29, 21, 8 int.	Incapacité physique d'accomplir l'acte sexuel normal pour l'homme	1° Zone: -hypothalamus 2° Glandes: -testicules -surrénales -hypophyse 3° Eléments: -feu -eau	1° Vert 2° Blanc 3° Bleu(IG) Bleu(V)	Jaune Noir Rouge(C) Jaune(R)	1° La 2° Sol 3° Ré(IG) Ré(V)	Fa Ré Do(C) Fa(R)
Infertilité 17, 26 ext., 29, 8 int.	Dysfonctionnement des organes reproducteurs (trompes de Fallope obstruées, ovulation irrégulière, libido supprimée, nombre de spermatozoïdes insuffisant, etc.)	1° Zones: -femme: ovaires, trompes de Fallope, utérus -homme: testicules, canaux déférents, prostate 2° Glandes: -surrénales -hypophyse 3° Eléments: -feu -bois	1° Vert 2° Blanc 3° Bleu(IG) Blanc(VB)	Jaune Noir Rouge(C) Vert(F)	1° La 2° Sol 3° Ré(IG) Sol(VB)	Fa Ré Do(C) La(F)

Système Génital

Problèmes de santé	Description	Etapes	Couleurs		Sons	
			V:Sortir A:Entrer	Entrer Sortir	A:Sortir V:Entrer	Entrer Sortir
Kystes sur les ovaires ou sur les seins	Masse pathologique sur les ovaires ou sur les seins	1° Zones: -ovaires ou seins 2° Glandes: -thymus -hypophyse 3° Elément: -bois	1° Vert 2° Blanc 3° Blanc(VB)	Jaune Noir Vert(F)	1° La 2° Sol 3° Sol(VB)	Fa Ré La(F)
Points à masser dans les oreilles: 3, 29, 8 int, 15 int.						
Leucorrhée (pertes blanches)	Ecoulement vulvaire blanchâtre, parfois purulent	1° Zones: -vagin -vulve 2° Glandes: -ovaires -thyroïde -hypophyse 3° Eléments: -feu -eau	1° Vert 2° Blanc 3° Bleu(IG) Bleu(V)	Jaune Noir Rouge(C) Jaune(R)	1° La 2° Sol 3° Ré(IG) Ré(V)	Fa Ré Do(C) Fa(R)
27, 24, 8 int.						
Mastite	Inflammation de la glande mammaire	1° Zone: -poitrine 2° Glandes: -surrénales -thymus -hypophyse 3° Elément: -bois	1° Vert 2° Blanc 3° Blanc(VB)	Jaune Noir Vert(F)	1° La 2° Sol 3° Sol(VB)	Fa Ré La(F)
29, 35, 21						

Système Génital

Problèmes de santé	Description	Etapes	Couleurs		Sons	
			V:Sortir A:Entrer	Entrer Sortir	A:Sortir V:Entrer	Entrer Sortir
Ménopause	Arrêt de l'ovulation et des menstruations	1° Zone: -hypothalamus 2° Glandes: -tout le système endocrinien 3° Eléments: -eau -bois	1° Vert 2° Blanc 3° Bleu(V) Blanc(VB)	Jaune Noir Jaune(R) Vert(F)	1° La 2° Sol 3° Ré(V) Sol(VB)	Fa Ré Fa(R) La(F)
Points à masser dans les oreilles: 29, 21, 8 int.						
Problèmes reliés à la grossesse points permis: 1, 17, 20, 21, 11, 25, 24 point interdit: 27	Habituellement, nausées et oedème	1° Zone: -région douloureuse 2° Glandes: -ovaires -pancréas -hypophyse 3° Eléments: -bois -eau	1° Vert 2° Blanc 3° Blanc(VB) Bleu(V)	Jaune Noir Vert(F) Jaune(R)	1° La 2° Sol 3° Sol(VB) Ré(V)	Fa Ré La(F) Fa(R)
Problèmes reliés à la ligature des trompes de Fallope 28, 8 int, 12 int.	Dérèglement hormonal provoquant des nausées, des maux de tête, etc.	1° Zone: -trompes de Fallope 2° Glandes: -ovaires -hypophyse 3° Elément: -bois	1° Vert 2° Blanc 3° Blanc(VB)	Jaune Noir Vert(F)	1° La 2° Sol 3° Sol(VB)	Fa Ré La(F)

Système Génital

Problèmes de santé	Description	Etapes		Couleurs		Sons	
				V:Sortir A:Entrer	Entrer Sortir	A:Sortir V:Entrer	Entrer Sortir
Troubles sexuels féminins (frigidité, vaginisme)	La frigidité est une absence du désir sexuel et de l'orgasme	1° Zones: -clitoris -vagin		1° Vert	Jaune	1° La	Fa
Points à masser dans les oreilles:	Le vaginisme est une contraction spasmodique douloureuse des muscles constricteurs du vagin	2° Glandes: -ovaires -surrénales -hypophyse		2° Blanc	Noir	2° Sol	Ré
29, 3, 7, 8 int, 12 int.		3° Eléments: -feu -bois		3° Bleu(IG) Blanc(VB)	Rouge(C) Vert(F)	3° Ré(IG) Sol(VB)	Do(C) La(F)
Troubles sexuels masculins (éjaculation précoce et diminution de l'appétit sexuel)	Une baisse de libido est souvent due à l'épuisement physique ou psychique	1° Zone: -hypothalamus		1° Vert	Jaune	1° La	Fa
		2° Glandes: -testicules -surrénales -hypophyse		2° Blanc	Noir	2° Sol	Ré
35, 34, 7		3° Eléments: -feu -eau		3° Bleu(IG) Bleu(V)	Rouge(C) Jaune(R)	3° Ré(IG) Ré(V)	Do(C) Fa(R)

Système lymphatique

Élément Bois

Visuel: Sortir Blanc   Rentrer Vert
Auditif: Sortir Sol   Rentrer La

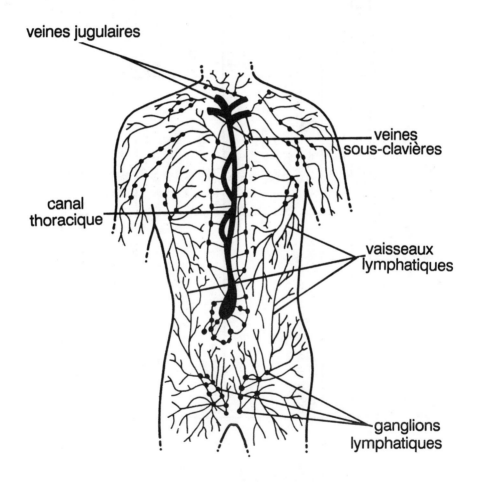

veines jugulaires

veines sous-clavières

canal thoracique

vaisseaux lymphatiques

ganglions lymphatiques

Système Lymphatique

Problèmes de santé	Description	Etapes	Couleurs		Sons	
			V:Sortir A:Entrer	Entrer Sortir	A:Sortir V:Entrer	Entrer Sortir
Abcès	Amas de pus formant une poche au sein d'un tissu ou d'un organe	1° Zone: -région concernée	1° Vert	Jaune	1° La	Fa
Points à masser dans les oreilles:		2° Glandes: -pancréas -surrénales -thymus	2° Blanc	Noir	2° Sol	Ré
Région concernée et 35, 11		3° Elément: -bois	3° Blanc(VB)	Vert(F)	3° Sol(VB)	La(F)
Amygdalite	Inflammation des amygdales	1° Zone: -amygdales	1° Vert	Jaune	1° La	Fa
		2° Glandes: -surrénales -thymus	2° Blanc	Noir	2° Sol	Ré
1, 35, 34, 7		3° Elément: -bois	3° Blanc(VB)	Vert(F)	3° Sol(VB)	La(F)
Appendicite	Inflammation de l'appendice	1° Zone: -appendice	1° Vert	Jaune	1° La	Fa
Voir un médecin		2° Glandes: -surrénales	2° Blanc	Noir	2° Sol	Ré
35, 6, 31		3° Elément: -métal	3° Blanc(GI)	Rouge(P)	3° Sol(GI)	Do(P)

Système Lymphatique

Problèmes de santé	Description	Etapes	Couleurs		Sons	
			V:Sortir A:Entrer	Entrer Sortir	A:Sortir V:Entrer	Entrer Sortir
Cellulite	Inflammation du tissu cellulaire sous-cutané	1° Zone: -région concernée 2° Glandes: -organes génitaux -thymus -thyroïde 3° Eléments: -eau -bois	1° Vert 2° Blanc 3° Bleu(V) Blanc(VB)	Jaune Noir Jaune(R) Vert(F)	1° La 2° Sol 3° Ré(V) Sol(VB)	Fa Ré Fa(R) La(F)
Points à masser dans les oreilles: 28 int., 19 int., 21, 15 int., 24						
Grippe	Maladie infectieuse à virus s'accompagnant de fièvre, de courbatures et d'atteintes des voies respiratoires	1° Zone: -hypothalamus 2° Glandes: -thymus -thyroïde -hypophyse 3° Elément: -bois	1° Vert 2° Blanc 3° Blanc(VB)	Jaune Noir Vert(F)	1° La 2° Sol 3° Sol(VB)	Fa Ré La(F)
2, 35, 24						
Infections	Problèmes qui résultent de la pénétration dans l'organisme de microbes, bactéries ou virus	1° Zone: -région concernée 2° Glandes: -surrénales -thymus 3° Elément: -bois	1° Vert 2° Blanc 3° Blanc(VB)	Jaune Noir Vert(F)	1° La 2° Sol 3° Sol(VB)	Fa Ré La(F)
Région concernée et 35						

Système Lymphatique

Problèmes de santé	Description	Etapes	Couleurs		Sons	
			V:Sortir A:Entrer	Entrer Sortir	A:Sortir V:Entrer	Entrer Sortir
Leucémie Points à masser dans les oreilles: Voir un médecin 21, 15 int., 24	Maladie caractérisée par une augmentation des leucocytes dans le sang et une prolifération des cellules du tissu lymphatique	1° Zone: -rate 2° Glandes: -tout le système endocrinien 3° Élément: -bois	1° Vert 2° Blanc 3° Blanc(VB)	Jaune Noir Vert(F)	1° La 2° Sol 3° Sol(VB)	Fa Ré La(F)
Oedème Région concernée et 15 int., 24	Gonflement diffus causé par une accumulation anormale de liquide dans les espaces intercellulaires des tissus	1° Zone: -région concernée 2° Glandes: -ovaires ou -testicules -surrénales -hypophyse 3° Éléments: -eau -bois	1° Vert 2° Blanc 3° Bleu(V) Blanc(VB)	Jaune Noir Jaune(R) Vert(F)	1° La 2° Sol 3° Ré(V) Sol(VB)	Fa Ré Fa(R) La(F)
Végétations adénoïdes 2, 35, 7	Hypertrophie de l'amygdale pharyngienne logée à l'arrière de la cavité nasale	1° Zone: -arrière de la cavité nasale 2° Glandes: -surrénales -thymus -hypophyse 3° Élément: -bois	1° Vert 2° Blanc 3° Blanc(VB)	Jaune Noir Vert(F)	1° La 2° Sol 3° Sol(VB)	Fa Ré La(F)

Système musculaire

Élément Bois

Visuel: Sortir Blanc   Rentrer Vert
Auditif: Sortir Sol   Rentrer La

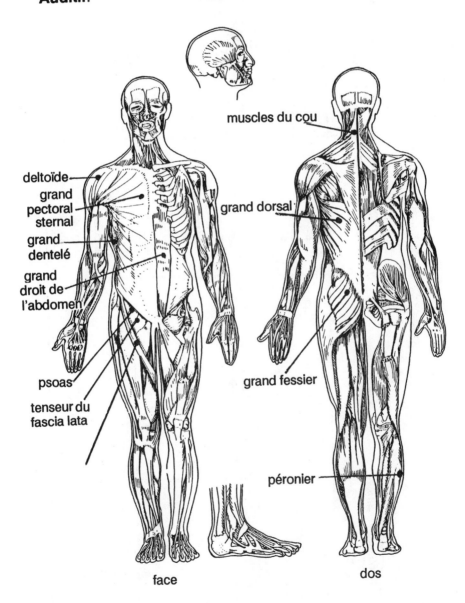

muscles du cou

deltoïde

grand
pectoral
sternal

grand
dentelé

grand
droit de
l'abdomen

grand dorsal

psoas

grand fessier

tenseur du
fascia lata

péronier

face   dos

Système Musculaire

Problèmes de santé	Description	Etapes	Couleurs		Sons	
			V:Sortir A:Entrer	Entrer Sortir	A:Sortir V:Entrer	Entrer Sortir
Crampe	Contraction douloureuse, involontaire d'un muscle ou d'un groupe de muscles	1° Zone: -région concernée 2° Glandes: -parathyroïdes 3° Elément: -eau	1° Vert 2° Blanc 3° Bleu(V)	Jaune Noir Jaune(R)	1° La 2° Sol 3° Ré(V)	Fa Ré Fa(R)
Points à masser dans les oreilles: 28, 19 ext., 21, 22						
Fièvre rhumatismale	Inflammation du tissu conjonctif entourant les articulations	1° Zone: -coeur 2° Glandes: -ovaires -surrénales -thymus -thyroïde -hypophyse 3° Elément: -feu	1° Vert 2° Blanc 3° Bleu(IG)	Jaune Noir Rouge(C)	1° La 2° Sol 3° Ré(IG)	Fa Ré Do(C)
Voir un médecin 21, 11						
Foulure, entorse	Distension des ligaments articulaires	1° Zone: -région concernée 2° Glandes: -surrénales -hypophyse 3° Elément: -bois	1° Vert 2° Blanc 3° Blanc(VB)	Jaune Noir Vert(F)	1° La 2° Sol 3° Sol(VB)	Fa Ré La(F)
Région concernée et 26 int., 19 int., 21						

Système Musculaire

Problèmes de santé	Description	Etapes	Couleurs		Sons	
			V:Sortir A:Entrer	Entrer Sortir	A:Sortir V:Entrer	Entrer Sortir
Goutte	Inflammation autour des articulations avec dépôt d'urates	1° Zone: -région concernée / 2° Glandes: -surrénales / 3° Eléments: -eau -bois	1° Vert / 2° Blanc / 3° Bleu(V) Blanc(VB)	Jaune / Noir / Jaune(R) Vert(F)	1° La / 2° Sol / 3° Ré(V) Sol(VB)	Fa / Ré / Fa(R) La(F)
Points à masser dans les oreilles: Région concernée et 26 int. et ext., 28, 21						
Myasthénie	Faiblesse musculaire sans atrophie	1° Zone: -tout le système musculaire / 2° Glandes: -surrénales -parathyroïdes / 3° Elément: -bois	1° Vert / 2° Blanc / 3° Blanc(VB)	Jaune / Noir / Vert(F)	1° La / 2° Sol / 3° Sol(VB)	Fa / Ré / La(F)
35, 34, 21, 11						
Rhumatisme	Inflammation des articulations, des tendons ou des muscles	1° Zone: -région concernée / 2° Glandes: -tout le système endocrinien / 3° Eléments: -bois -eau -métal	1° Vert / 2° Blanc / 3° Blanc(VB) Bleu(V) Blanc(GI)	Jaune / Noir / Vert(F) Jaune(R) Rouge(P)	1° La / 2° Sol / 3° Sol(VB) Ré(V) Sol(GI)	Fa / Ré / La(F) Fa(R) Do(P)
Région concernée et 21, 11, 15 int.						

Problèmes de santé	Description	Etapes	Couleurs				Sons			
			V:Sortir A:Entrer		Entrer Sortir		A:Sortir V:Entrer		Entrer Sortir	
Spasmes	Contraction brusque, violente et involontaire d'un ou de plusieurs muscles	1° Zone: -région concernée	1° Vert		Jaune		1° La		Fa	
Points à masser dans les oreilles:		2° Glandes: -parathyroïdes	2° Blanc		Noir		2° Sol		Ré	
Région concernée et 35, 19 int., 21		3° Elément: -eau	3° Bleu(V)		Jaune(R)		3° Ré(V)		Fa(R)	
Tendinite	Inflammation d'un tendon	1° Zone: -région concernée	1° Vert		Jaune		1° La		Fa	
		2° Glandes: -surrénales -thymus	2° Blanc		Noir		2° Sol		Ré	
Région concernée et 35, 22, 23, 25		3° Elément: -bois	3° Blanc(VB)		Vert(F)		3° Sol(VB)		La(F)	
Torticolis	Torsion douloureuse du cou avec inclinaison de la tête	1° Zone: -cou	1° Vert		Jaune		1° La		Fa	
		2° Glandes: -surrénales	2° Blanc		Noir		2° Sol		Ré	
Muscles du cou et vertèbres cervicales		3° Eléments: -eau -bois	3° Bleu(V) Blanc(VB)		Jaune(R) Vert(F)		3° Ré(V) Sol(VB)		Fa(R) La(F)	

Système nerveux

Élément Terre

Visuel: Sortir Vert Rentrer Jaune
Auditif: Sortir La Rentrer Fa

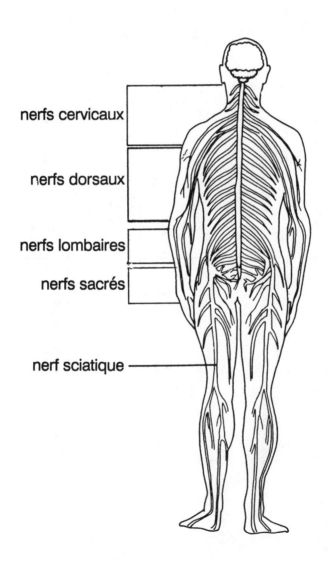

nerfs cervicaux

nerfs dorsaux

nerfs lombaires

nerfs sacrés

nerf sciatique

Système Nerveux

Problèmes de santé	Description	Etapes	Couleurs		Sons	
			V:Sortir A:Entrer	Entrer Sortir	A:Sortir V:Entrer	Entrer Sortir
Alcoolisme	Abus des boissons alcooliques, déterminant un ensemble de troubles	1° Zone: -hypothalamus 2° Glandes: -pancréas -surrénales -hypophyse 3° Éléments: -bois -feu	1° Vert 2° Blanc 3° Blanc(VB) Bleu(IG)	Jaune Noir Vert(F) Rouge(C)	1° La 2° Sol 3° Sol(VB) Ré(IG)	Fa Ré La(F) Do(C)
Points à masser dans les oreilles: 16, 35, 21, 11						
Angoisse, Anxiété	Maladie psychique et physique, caractérisée par une crainte diffuse et des sensations de constriction	1° Zone: -hypothalamus 2° Glandes: -pancréas -surrénales -thymus 3° Éléments: -bois -métal	1° Vert 2° Blanc 3° Blanc(VB) Blanc(GI)	Jaune Noir Vert(F) Rouge(P)	1° La 2° Sol 3° Sol(VB) Sol(GI)	Fa Ré La(F) Do(P)
35, 19 ext., 21						
Anorexie	Perte ou diminution de l'appétit	1° Zone: -hypothalamus 2° Glandes: -ovaires ou -testicules -pancréas -thyroïde 3° Éléments: -feu -bois	1° Vert 2° Blanc 3° Bleu(IG) Blanc(VB)	Jaune Noir Rouge(C) Vert(F)	1° La 2° Sol 3° Ré(IG) Sol(VB)	Fa Ré Do(C) La(F)
33, 6, 11						

Système Nerveux

Problèmes de santé	Description	Etapes	Couleurs		Sons	
			V:Sortir A:Entrer	Entrer Sortir	A:Sortir V:Entrer	Entrer Sortir
Ataxie	Incoordination des mouvements volontaires due à une affection des centres nerveux	1° Zones: -plexus solaire -cerveau	1° Vert	Jaune	1° La	Fa
		2° Glandes: -tout le système endocrinien	2° Blanc	Noir	2° Sol	Ré
Points à masser dans les oreilles:		3° Élément: -eau	3° Bleu(V)	Jaune(R)	3 Ré(V)	Fa(R)
28, 19 ext., 22, 14						
Bégaiement	Troubles de la parole	1° Zone: -cerveau	1° Vert	Jaune	1° La	Fa
		2° Glande: -thyroïde	2° Blanc	Noir	2° Sol	Ré
26 int. et ext., 27, 21		3° Éléments: -eau -bois	3° Bleu(V) Blanc(VB)	Jaune(R) Vert(F)	3° Ré(V) Sol(VB)	Fa(R) La(F)
Boulimie	Faim excessive qui accompagne certains troubles physiques ou mentaux	1° Zone: -hypothalamus	1° Vert	Jaune	1° La	Fa
		2° Glandes: -ovaires ou -testicules -pancréas -thyroïde	2° Blanc	Noir	2° Sol	Ré
16, 1, 6, 21		3° Éléments: -feu -bois	3° Bleu(IG) Blanc(VB)	Rouge(C) Vert(F)	3° Ré(IG) Sol(VB)	Do(C) La(F)

Système Nerveux

Problèmes de santé	Description	Etapes	Couleurs — V:Sortir A:Entrer	Couleurs — Entrer Sortir	Sons — A:Sortir V:Entrer	Sons — Entrer Sortir
Cauchemars	Rêves pénibles et angoissants	1° Zone: -hypothalamus 2° Glande: -épiphyse 3° Élément: -bois	1° Vert 2° Blanc 3° Blanc(VB)	Jaune Noir Vert(F)	1° La 2° Sol 3° Sol(VB),	Fa Ré fa(F)
Points à masser dans les oreilles: 1, 17, 27						
Dépression mentale	Baisse du niveau énergétique, accompagnée de tristesse et de pensées négatives	1° Zone: -cerveau 2° Glandes: -surrénales -thyroïde -hypophyse -épiphyse 3° Éléments: -eau -bois -métal	1° Vert 2° Blanc 3° Bleu(V) Blanc(VB) Blanc(GI)	Jaune Noir Jaune(R) Vert(F) Rouge(P)	1° La 2° Sol 3° Ré(V) Sol(VB) Sol(GI)	Fa Ré Fa(R) La(F) Do(P)
1, 2, 5, 19 ext., 21, 25						
Encéphalite Voir un médecin	Inflammation du cerveau	1° Zone: -cerveau 2° Glandes: -tout le système endocrinien 3° Élément: -bois	1° Vert 2° Blanc 3° Blanc(VB)	Jaune Noir Vert(F)	1° La 2° Sol 3° Sol(VB)	Fa Ré La(F)
35, 34, 27, 28						

Système Nerveux

Problèmes de santé	Description	Etapes	Couleurs		Sons	
			V:Sortir A:Entrer	Entrer Sortir	A:Sortir V:Entrer	Entrer Sortir
Engourdissement des doigts (Parésie)	Sensation de raideur et de torpeur dans les doigts	1° Zone: -doigts 2° Glandes: -surrénales -hypophyse 3° Eléments: -eau -métal	1° Vert 2° Blanc 3° Bleu(V) Blanc(Gl)	Jaune Noir Jaune(R) Rouge(P)	1° La 2° Sol 3° Ré(V) Sol(Gl)	Fa Ré Fa(R) Do(P)
Points à masser dans les oreilles: Zone des doigts et 26 int., 30, 28						
Epilepsie	Désordre du système nerveux caractérisé par des convulsions avec perte de connaissance	1° Zone: -cerveau 2° Glandes: -tout le système endocrinien 3° Eléments: -métal -eau	1° Vert 2° Blanc 3° Blanc(Gl) Bleu(V)	Jaune Noir Rouge(P) Jaune(R)	1° La 2° Sol 3° Sol(Gl) Ré(V)	Fa Ré Do(P) Fa(R)
17, 26 int., 22						
Hoquet	Spasmes du diaphragme	1° Zone: -diaphragme 2° Glandes: -surrénales 3° Elément: -métal	1° Vert 2° Blanc 3° Blanc(Gl)	Jaune Noir Rouge(P)	1° La 2° Sol 3° Sol(Gl)	Fa Ré Do(P)
1, 6, 21						

Système Nerveux

Problèmes de santé	Description	Etapes	Couleurs		Sons	
			V:Sortir A:Entrer	Entrer Sortir	A:Sortir V:Entrer	Entrer Sortir
Inflammation du nerf sciatique	Inflammation du plus long nerf du corps qui naît au plexus sacré, passe par le bassin et descend jusqu'au talon	1° Zone: -nerf sciatique 2° Glandes: -surrénales -thymus 3° Élément: -eau	1° Vert 2° Blanc 3° Bleu(V)	Jaune Noir Jaune(R)	1° La 2° Sol 3° Ré(V)	Fa Ré Fa(R)
Points à masser dans les oreilles: 26 ext., 22, 13, 25						
Insomnie	Difficulté à dormir suffisamment	1° Zone: -hypothalamus 2° Glandes: -surrénales -hypophyse -épiphyse 3° Éléments: -métal -bois	1° Vert 2° Blanc 3° Blanc(GI) Blanc(VB)	Jaune Noir Rouge(P) Vert(F)	1° La 2° Sol 3° Sol(GI) Sol(VB)	Fa Ré Do(P) La(F)
35, 3, 21, 24						
Maladie de Parkinson	Tremblements musculaires causés par une maladie du système nerveux	1° Zone: -système nerveux 2° Glandes: -tout le système endocrinien 3° Éléments: -métal -eau	1° Vert 2° Blanc 3° Blanc(GI) Bleu(V)	Jaune Noir Rouge(P) Jaune(R)	1° La 2° Sol 3° Sol(GI) Ré(V)	Fa Ré Do(P) Fa(R)
26 int. et ext., 30, 28, 14						

Système Nerveux

Problèmes de santé	Description	Etapes	Couleurs		Sons	
			V:Sortir A:Entrer	Entrer Sortir	A:Sortir V:Entrer	Entrer Sortir
Mal de tête Migraine, céphalée	Problème causé le plus souvent par un dérèglement des méridiens de la vésicule biliaire ou de la vessie, ou d'une tension dans les muscles du cou	1° Zone: -cerveau 2° Glande: -hypophyse	1° Vert 2° Blanc	Jaune Noir	1° La 2° Sol	Fa Ré
Points à masser dans les oreilles: 1, 17, 27, 9, 11		3° Eléments: -bois -eau	3° Blanc(VB) Bleu(V)	Vert(F) Jaune(R))	3° Sol(VB) Ré(V)	La(F) Fa(R)
Méningite Voir un médecin	Inflammation des méninges (membranes qui entourent le cerveau et la moëlle épinière)	1° Zone: -cerveau 2° Glandes: -surrénales -thymus -hypophyse -épiphyse 3° Eléments: -eau -bois	1° Vert 2° Blanc 3° Bleu(V) Blanc(VB)	Jaune Noir Jaune(R) Vert(F)	1° La 2° Sol 3° Ré(V) Sol(VB)	Fa Ré Fa(R) La(F)
26 int., 35, 28						
Névralgie	Douleur ressentie sur le trajet d'un nerf sensitif	1° Zone: -région concernée 2° Glandes: -surrénales -hypophyse 3° Eléments: -eau -métal -bois	1° Vert 2° Blanc 3° Bleu(V) Blanc(GI) Blanc(VB)	Jaune Noir Jaune(R) Rouge(P) Vert(F)	1° La 2° Sol 3° Ré(V) Sol(GI) Sol(VB)	Fa Ré Fa(R) Do(P) La(F)
Région concernée et 16, 28, 23						

Système Nerveux

Problèmes de santé	Description	Etapes	Couleurs		Sons	
			V:Sortir A:Entrer	Entrer Sortir	A:Sortir V:Entrer	Entrer Sortir
Névrite	Inflammation des nerfs	1° Zone: -nerf concerné	1° Vert	Jaune	1° La	Fa
Points à masser dans les oreilles:		2° Glandes: -surrénales -thymus	2° Blanc	Noir	2° Sol	Ré
Région concernée et 16, 28, 23		3° Elément: -eau	3° Bleu(V)	Jaune(R)	3° Ré(V)	Fa(R)
Paralysie	Perte de fonction motrice, due à des lésions du système nerveux	1° Zone: -région concernée	1° Vert	Jaune	1° La	Fa
		2° Glande: -hypophyse	2° Blanc	Noir	2° Sol	Ré
26 int. et ext., 30, 19 ext.		3° Eléments: -eau -bois	3° Bleu(V) Blanc(VB)	Jaune(R) Vert(F)	3° Ré(V) Sol(VB)	Fa(R) La(F)
Sclérose en plaques	Détérioration de la couche de myéline entourant les nerfs	1° Zone: -tout le système nerveux	1° Vert	Jaune	1° La	Fa
		2° Glandes: -tout le système endocrinien	2° Blanc	Noir	2° Sol	Ré
28, 19 ext., 22, 14		3° Eléments: -eau -métal	3° Bleu(V) Blanc(GI)	Jaune(R) Rouge(P)	3° Ré(V) Sol(GI)	Fa(R) Do(P)

Système Nerveux

Problèmes de santé	Description	Etapes	Couleurs		Sons	
			V:Sortir A:Entrer	Entrer Sortir	A:Sortir V:Entrer	Entrer Sortir
Tension nerveuse	Stress, énervement	1° <u>Zones:</u> -plexus solaire -cerveau 2° <u>Glandes:</u> -surrénales 3° <u>Éléments:</u> -métal -eau -bois	1° Vert 2° Blanc 3° Blanc(GI) Bleu(V) Blanc(VB)	1° Jaune 2° Noir 3° Rouge(P) Jaune(R) Vert(F)	1° La 2° Sol 3° Sol(GI) Ré(V) Sol(VB)	1° Fa 2° Ré 3° Do(P) Fa(R) La(F)
Points à masser dans les oreilles: 17, 26 int. et ext., 21						
Tic nerveux 26 int. et ext., 30, 21	Geste bref, automatique et répété involontairement	1° <u>Zones:</u> -plexus solaire -cerveau 2° <u>Glandes:</u> -surrénales 3° <u>Éléments:</u> -eau -métal	1° Vert 2° Blanc 3° Bleu(V) Blanc(GI)	1° Jaune 2° Noir 3° Jaune(R) Rouge(P)	1° La 2° Sol 3° Ré(V) Sol(GI)	1° Fa 2° Ré 3° Fa(R) Do(P)
Tremblements 26 int. et ext., 30, 28, 14	Mouvements involontaires du corps	1° <u>Zone:</u> -tout le système nerveux 2° <u>Glandes:</u> -surrénales -thyroïde 3° <u>Éléments:</u> -eau -métal	1° Vert 2° Blanc 3° Bleu(V) Blanc(GI)	1° Jaune 2° Noir 3° Jaune(R) Rouge(P)	1° La 2° Sol 3° Ré(V) Sol(GI)	1° Fa 2° Ré 3° Fa(R) Do(P)

Système Nerveux

Problèmes de santé	Description	Etapes	Couleurs		Sons	
			V:Sortir A:Entrer	Entrer Sortir	A:Sortir V:Entrer	Entrer Sortir
Vertige	Etourdissements qui peuvent s'accompagner de troubles de l'équilibre	1° Zones: -oreille interne -cerveau	1° Vert	Jaune	1° La	Fa
		2° Glandes: -pancréas -thyroïde	2° Blanc	Noir	2° Sol	Ré
Points à masser dans les oreilles:		3° Eléments: -bois -eau	3° Blanc(VB) Bleu(V)	Vert(F) Jaune(R)	3° Sol(VB) Ré(V)	La(F) Fa(R)
Région cervicale et 3, 34						

Organes des sens

Bouche et Nez

Organes des sens - Bouche et Nez

Problèmes de santé	Description	Etapes	Couleurs		Sons	
			V:Sortir A:Entrer	Entrer Sortir	A:Sortir V:Entrer	Entrer Sortir
Feu sauvage	Eruption d'origine virale située généralement sur les lèvres	1° Zone: -région concernée	1° Vert	Jaune	1° La	Fa
Points à masser dans les oreilles:		2° Glandes: -surrénales -thymus	2° Blanc	Noir	2° Sol	Ré
Région concernée et 26 ext., 11, 24 N.B. Le point 24 est particulièrement efficace		3° Elément: -bois	3° Blanc(VB)	Vert(F)	3° Sol(VB)	La(F)
Mal de dents	Douleur aux dents et aux gencives	1° Zone: -région concernée	1° Vert	Jaune	1° La	Fa
		2° Glandes: -thymus -hypophyse	2° Blanc	Noir	2° Sol	Ré
1, 3, 26 int. et ext.		3° Eléments: -eau -métal	3° Bleu(V) Blanc(GI)	Jaune(R) Rouge(P)	3° Ré(V) Sol(GI)	Fa(R) Do(P)
Mauvaise haleine	Odeur désagréable dégagée par l'haleine	1° Zone: -bouche	1° Vert	Jaune	1° La	Fa
		2° Glandes: -pancréas -thyroïde	2° Blanc	Noir	2° Sol	Ré
9, 11, 31		3° Eléments: -métal -bois	3° Blanc(GI) Blanc(VB)	Rouge(P) Vert(F)	3° Sol(GI) Sol(VB)	Do(P) La(F)

Organes des sens - Bouche et Nez

Problèmes de santé	Description	Etapes	Couleurs V:Sortir A:Entrer	Couleurs Entrer Sortir	Sons A:Sortir V:Entrer	Sons Entrer Sortir
Oreillons	Maladie infectieuse caractérisée par une inflammation des parotides	1° Zone: -région concernée	1° Vert	Jaune	1° La	Fa
		2° Glandes: -surrénales -thymus -thyroïde	2° Blanc	Noir	2° Sol	Ré
Points à masser dans les oreilles: 1, 35, 5		3° Eléments: -feu -bois	3° Bleu(IG) Blanc(VB)	Rouge(C) Vert(F)	3° Ré(IG) Sol(VB)	Do(C) La(F)
Perte de goût et d'odorat	Incapacité de bien percevoir les odeurs et les saveurs	1° Zones: -muqueuse nasale -langue	1° Vert	Jaune	1° La	Fa
		2° Glandes: -ovaires ou -testicules -pancréas	2° Blanc	Noir	2° Sol	Ré
1, 2, 5, 7		3° Elément: -métal	3° Blanc(GI)	Rouge(P)	3° Sol(GI)	Do(P)
Polypes du nez	Tumeurs généralement bénignes, dues à une excroissance de la muqueuse du nez	1° Zone: -nez	1° Vert	Jaune	1° La	Fa
		2° Glandes: -surrénales -thymus -hypophyse	2° Blanc	Noir	2° Sol	Ré
1, 2, 11		3° Elément: -métal	3° Blanc(GI)	Rouge(P)	3° Sol(GI)	Do(P)

Problèmes de santé	Description	Etapes	Couleurs V:Sortir A:Entrer	Couleurs Entrer Sortir	Sons A:Sortir V:Entrer	Sons Entrer Sortir
Pyorrhée dentaire Points à masser dans les oreilles: 1, 3, 6, 21	Ecoulement de pus entraînant un décollement et un ébranlement des dents	1° Zone: -gencives 2° Glandes: -surrénales -thymus -hypophyse 3° Elément: -bois	1° Vert 2° Blanc 3° Blanc(VB)	1° Jaune 2° Noir 3° Vert(F)	1° La 2° Sol 3° Sol(VB)	Fa Ré La(F)
Saignement de nez Placer une serviette froide sur la nuque 2	Ecoulement anormal de sang provenant des parois nasales	1° Zone: -nez 2° Glandes: -ovaires ou -testicules -pancréas 3° Elément: -eau	1° Vert 2° Blanc 3° Bleu(V)	1° Jaune 2° Noir 3° Jaune(R)	1° La 2° Sol 3° Ré(V)	Fa Ré Fa(R)
Stomatite 1, 17, 35, 3, 11	Inflammation de la muqueuse buccale	1° Zone: -bouche 2° Glandes: -surrénales -thymus 3° Eléments: -feu -bois	1° Vert 2° Blanc 3° Bleu(IG) Blanc(VB)	1° Jaune 2° Noir 3° Rouge(C) Vert(F)	1° La 2° Sol 3° Ré(IG) Sol(VB)	Fa Ré Do(C) La(F)

Organes des sens

Œil

Problèmes de santé	Description	Etapes	Couleurs V:Sortir A:Entrer	Couleurs Entrer Sortir	Sons A:Sortir V:Entrer	Sons Entrer Sortir
Atrophie du nerf optique Points à masser dans les oreilles: 16, 1, 21, 9, 11	Dégénérescence des fibres du nerf optique accompagnée d'une diminution de la vision	1° Zone: -nerf optique 2° Glandes: -surrénales -hypophyse 3° Elément: bois	1° Vert 2° Blanc 3° Blanc(VB)	Jaune Noir Vert(F)	1° La 2° Sol 3° Sol(VB)	Fa Ré La(F)
Cataracte 1, 35, 15	Opacité du cristallin de l'oeil	1° Zone: -cristallin de l'oeil 2° Glandes: -surrénales -thymus -hypophyse 3° Elément: -eau	1° Vert 2° Blanc 3° Bleu(V)	Jaune Noir Jaune(R)	1° La 2° Sol 3° Ré(V)	Fa Ré Fa(R)
Chalazion 1, 35, 33, 11	Petite tumeur non inflammatoire située dans la paupière et produite par l'oblitération d'une glande	1° Zone: -paupière 2° Glandes: -surrénales -hypophyse 3° Eléments: -eau -bois	1° Vert 2° Blanc 3° Bleu(V) Blanc(VB)	Jaune Noir Jaune(R) Vert(F)	1° La 2° Sol 3° Ré(V) Sol(VB)	Fa Ré Fa(R) La(F)

Organes des sens - Oeil

Problèmes de santé	Description	Etapes	Couleurs		Sons	
			V:Sortir A:Entrer	Entrer Sortir	A:Sortir V:Entrer	Entrer Sortir
Conjonctivite	Inflammation des membranes qui tapissent l'intérieur de l'oeil et des paupières	1° Zones: -intérieur de l'oeil et des paupières 2° Glandes: -surrénales -thymus	1° Vert 2° Blanc	Jaune Noir	1° La 2° Sol	Fa Ré
Points à masser dans les oreilles: 1, 35, 11, 24		3° Eléments: -bois -eau	3° Blanc(VB) Bleu(V)	Vert(F) Jaune(R)	3° Sol(VB) Ré(V)	La(F) Fa(R)
Décollement de la rétine	Séparation partielle ou complète de la rétine de la choroïde provoquant des troubles de la vue et causant une perte partielle et même complète de la vision si non traitée	1° Zones: -rétine -choroïde 2° Glandes: -surrénales -thyroïde -hypophyse	1° Vert 2° Blanc	Jaune Noir	1° La 2° Sol	Fa Ré
Voir un ophtal-mologiste 1, 35, 11		3° Elément: -bois	3° Blanc(VB)	Vert(F)	3° Sol(VB)	La(F)
Fatigue visuelle	Picotement ou sensation de brûlure aux yeux	1° Zone: -yeux 2° Glandes: -surrénales -thymus -thyroïde	1° Vert 2° Blanc	Jaune Noir	1° La 2° Sol	Fa Ré
1, 21, 24		3° Elément: -bois	3° Blanc(VB)	Vert(F)	3° Sol(VB)	La(F)

Organes des sens - Oeil

Problèmes de santé	Description	Etapes	Couleurs V:Sortir A:Entrer	Entrer Sortir	Sons A:Sortir V:Entrer	Entrer Sortir
Glaucome	Pression excessive des liquides à l'intérieur du globe oculaire	1° Zone: -globe oculaire 2° Glandes: -surrénales -hypophyse 3° Elément: -eau	1° Vert 2° Blanc 3° Bleu(V)	Jaune Noir Jaune(R)	1° La 2° Sol 3° Ré(V)	Fa Ré Fa(R)
Points à masser dans les oreilles: 1, 35, 15						
Iritis Voir un ophtalmologiste 1, 35, 11, 24	Inflammation de l'iris	1° Zone: -iris 2° Glandes: -surrénales -thymus 3° Elément: -bois	1° Vert 2° Blanc 3° Blanc(VB)	Jaune Noir Vert(F)	1° La 2° Sol 3° Sol(VB)	Fa Ré La(F)
Orgelet 1, 35, 11, 24	Petit bouton purulent situé sur le bord de la paupière	1° Zone: -paupière 2° Glandes: -surrénales -thymus 3° Elément: -bois	1° Vert 2° Blanc 3° Blanc(VB)	Jaune Noir Vert(F)	1° La 2° Sol 3° Sol(VB)	Fa Ré La(F)

Organes des sens - Oeil

4

Problèmes de santé	Description	Etapes	Couleurs			Sons		
			V:Sortir A:Entrer	Entrer Sortir		A:Sortir V:Entrer	Entrer Sortir	
Zona opthalmique	Infection virale siégeant dans l'oeil accompagnée de vives douleurs	1° Zone: -oeil	1° Vert	Jaune		1° La	Fa	
Points à masser dans les oreilles:		2° Glandes: -surrénales -thymus	2° Blanc	Noir		2° Sol	Ré	
16, 1, 21		3° Elément: -bois	3° Blanc(VB)	Vert(F)		3° Sol(VB)	La(F)	

Organes des sens

Oreille

Organes des sens - Oreille

Problèmes de santé	Description	Etapes	Couleurs		Sons	
			V:Sortir A:Entrer	Entrer Sortir	A:Sortir V:Entrer	Entrer Sortir
Bourdonnement d'oreilles	Sons (bruit sourd, tintement, sifflement, etc.) perçus par l'oreille et provoqués par des troubles physiologiques (cire accumulée, dents de sagesse en mauvais état, trompes d'Eustache bloquées, etc.)	1° Zone: -oreilles	1° Vert	1° Jaune	1° La	Fa
Points à masser dans les oreilles:		2° Glandes: -surrénales -thymus -épiphyse	2° Blanc	2° Noir	2° Sol	Ré
Masser sur toute la distance séparant les points 28 et 29 5, 11, 15		3° Eléments: -eau -feu -bois	3° Bleu(V) Bleu(IG) Blanc(VB)	3° Jaune(R) Rouge(C) Vert(F)	3° Ré(V) Ré(IG) Sol(VB)	Fa(R) Do(C) La(F)
Mal de mer	Malaises (nausées, vomissements, étourdissements) dus au mouvement d'un véhicule	1° Zone: -oreille interne et moyenne	1° Vert	1° Jaune	1° La	Fa
Masser sur toute la distance séparant les points 28 et 29		2° Glandes: -pancréas -surrénales -épiphyse	2° Blanc	2° Noir	2° Sol	Ré
21		3° Eléments: -eau -bois	3° Bleu(V) Blanc(VB)	3° Jaune(R) Vert(F)	3° Ré(V) Sol(VB)	Fa(R) La(F)
Otalgie	Douleurs de l'oreille d'origine diverses	1° Zone: -oreille	1° Vert	1° Jaune	1° La	Fa
	Vérifier: 1. carie dentaire 2. blessure ou aphte de la langue 3. affection du rhyno-pharynx	2° Glandes: -surrénales -thymus -hypophyse	2° Blanc	2° Noir	2° Sol	Ré
1, 5, 20, 24		3° Elément: -eau	3° Bleu(V)	3° Jaune(R)	3° Ré(V)	Fa(R)

Organes des sens - Oreille

Problèmes de santé	Description	Etapes	Couleurs V:Sortir A:Entrer	Couleurs Entrer Sortir	Sons A:Sortir V:Entrer	Sons Entrer Sortir
Otite Voir un médecin Points à masser dans les oreilles: 1, 5, 20, 24	Inflammation aiguë ou chronique de l'oreille	1° Zone: -oreilles 2° Glandes: -surrénales -thymus -hypophyse 3° Eléments: -eau -bois	1° Vert 2° Blanc 3° Bleu(V) Blanc(VB)	Jaune Noir Jaune(R) Vert(F)	1° La 2° Sol 3° Ré(V) Sol(VB)	Fa Ré Fa(R) La(F)
Surdité 1, 19 ext. et zones derrières les oreilles	Diminution ou perte du sens de l'ouïe	1° Zone: -oreille 2° Glandes: -pancréas -thyroïde 3° Elément: -eau	1° Vert 2° Blanc 3° Bleu(V)	Jaune Noir Jaune(R)	1° La 2° Sol 3° Ré(V)	Fa Ré Fa(R)
Vertige 34, zones entre 28 et 29, Zones des cervicales	Etourdissements qui peuvent s'accompagner de troubles de l'équilibre	1° Zone: -oreille interne et moyenne 2° Glandes: -ovaires ou testicules -pancréas -thyroïde 3° Eléments: -eau -bois	1° Vert 2° Blanc 3° Bleu(V) Blanc(VB)	Jaune Noir Jaune(R) Vert(F)	1° La 2° Sol 3° Ré(V) Sol(VB)	Fa Ré Fa(R) La(F)

Organes des sens

Peau

Organes des sens - Peau

Problèmes de santé	Description	Etapes	Couleurs		Sons	
			V:Sortir A:Entrer	Entrer Sortir	A:Sortir V:Entrer	Entrer Sortir
Acné	Lésion de la peau au niveau des follicules pilo-sébacés	1° Zone: -région concernée 2° Glandes: -ovaires ou -testicules -surrénales -thyroïde 3° Eléments: -eau -bois -métal	1° Vert 2° Blanc 3° Bleu(V) Blanc(VB) Blanc(GI)	1° Jaune 2° Noir 3° Jaune(R) Vert(F) Rouge(P)	1° La 2° Sol 3° Ré(V) Sol(VB) Sol(GI)	Fa Ré Fa(R) La(F) Do(P)
Points à masser dans les oreilles: 16, 19 int., 21, 11, 24						
Brûlure, coup de soleil, coupure, piqûre	Lésions diverses de la peau	1° Zone: -région concernée 2° Glandes: -surrénales -thymus -hypophyse 3° Elément: -métal	1° Vert 2° Blanc 3° Blanc(GI)	1° Jaune 2° Noir 3° Rouge(P)	1° La 2° Sol 3° Sol(GI)	Fa Ré Do(P)
1, 19 int., 35						
Eczéma	Affection cutanée caractérisée par des rougeurs, des vésicules suintantes	1° Zone: -région concernée 2° Glandes: -surrénales -thymus -thyroïde 3° Eléments: -bois -métal	1° Vert 2° Blanc 3° Blanc(VB) Blanc(GI)	1° Jaune 2° Noir 3° Vert(F) Rouge(P)	1° La 2° Sol 3° Sol(VB) Sol(GI)	Fa Ré La(F) Do(P)
26 int., 19 int., 15 int., 24						

Organes des sens - Peau

Problèmes de santé	Description	Etapes	Couleurs		Sons	
			V:Sortir A:Entrer	Entrer Sortir	A:Sortir V:Entrer	Entrer Sortir
Psoriasis Points à masser dans les oreilles: 26 int., 19 int., 11, 21	Maladie de la peau caractérisée par des taches rouges recouvertes de squames abondantes, localisées surtout aux coudes, aux genoux et au cuir chevelu	1° Zone: -région concernée 2° Glandes: -ovaires ou -testicules -surrénales -thyroïde 3° Eléments: -bois -métal -eau	1° Vert 2° Blanc 3° Blanc(VB) Blanc(GI) Bleu(V)	1° Jaune 2° Noir 3° Vert(F) Rouge(P) Jaune(R)	1° La 2° Sol 3° Sol(VB) Sol(GI) Ré(V)	1° Fa 2° Ré 3° La(F) Do(P) Fa(R)
Sécheresse de la peau 26 ext., 19 int., 15 int., 24	Epiderme couvert d'une couche de cellules mortes et sèches, par suite d'un ralentissement de la régénération cellulaire	1° Zone: -région concernée 2° Glandes: -ovaires ou -testicules -surrénales -thyroïde 3° Elément: -métal	1° Vert 2° Blanc 3° Blanc(GI)	1° Jaune 2° Noir 3° Rouge(P)	1° La 2° Sol 3° Sol(GI)	1° Fa 2° Ré 3° Do(P)
Transpiration excessive 26 ext., 21, 15 int.	Excrétion trop abondante de sueur	1° Zone: -région concernée 2° Glandes: -surrénales -thyroïde 3° Elément: -eau	1° Vert 2° Blanc 3° Bleu(V)	1° Jaune 2° Noir 3° Jaune(R)	1° La 2° Sol 3° Ré(V)	1° Fa 2° Ré 3° Fa(R)

Organes des sens - Peau

Problèmes de santé	Description	Etapes	Couleurs		Sons	
			V:Sortir A:Entrer	Entrer Sortir	A:Sortir V:Entrer	Entrer Sortir
Ulcère	Lésion de la peau ou d'une muqueuse qui ne se cicatrise pas normalement	1° Zone: -région concernée	1° Vert	Jaune	1° La	Fa
Points à masser dans les oreilles:		2° Glandes: -surrénales -hypophyse	2° Blanc	Noir	2° Sol	Ré
Région concernée et 1, 21		3° Elément: -métal	3° Blanc(GI)	Rouge(P)	3° Sol(GI)	Do(P)
Urticaire	Eruption passagère de papules rosées ou blanchâtres	1° Zone: -région concernée	1° Vert	Jaune	1° La	Fa
		2° Glandes: -surrénales	2° Blanc	Noir	2° Sol	Ré
26 ext., 19 int., 11, 24		3° Elément: -métal	3° Blanc(GI)	Rouge(P)	3° Sol(GI)	Do(P)
Verrue, kyste et tumeur	Excroissance formée par une prolifération anormale de cellules	1° Zone: -région concernée	1° Vert	Jaune	1° La	Fa
		2° Glandes: -ovaires ou -testicules	2° Blanc	Noir	2° Sol	Ré
1, 8 int., 11, 15 int.		3° Elément: -bois	3° Blanc(VB)	Vert(F)	3° Sol(VB)	La(F)

Organes des sens - Peau

Problèmes de santé	Description	Etapes	Couleurs		Sons	
			V:Sortir A:Entrer	Entrer Sortir	A:Sortir V:Entrer	Entrer Sortir
Vitiligo	Problème de pigmentation de la peau caractérisée par la présence de taches blanchâtres	1° Zone: -région concernée	1° Vert	Jaune	1° La	Fa
Points à masser dans les oreilles:		2° Glandes: -surrénales -épiphyse	2° Blanc	Noir	2° Sol	Ré
26 ext., 19 int., 21, 11		3° Elément: -bois	3° Blanc(VB)	Vert(F)	3° Sol(VB)	La(F)
Zona	Affection d'origine virale caractérisée par une éruption de vésicules disposées sur le trajet des nerfs sensitifs	1° Zone: -région concernée	1° Vert	Jaune	1° La	Fa
		2° Glandes: -surrénales -thymus -hypophyse	2° Blanc	Noir	2° Sol	Ré
Région concernée et 21		3° Elément: -bois	3° Blanc(VB)	Vert(F)	3° Sol(VB)	La(F)

Système osseux

Élément Eau

Visuel: Sortir Bleu   Rentrer Jaune
Auditif: Sortir Ré   Rentrer Fa

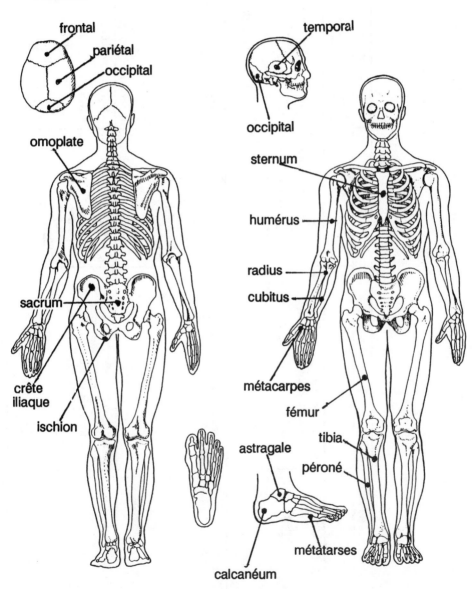

Système Osseux

Problèmes de santé	Description	Etapes	Couleurs V:Sortir A:Entrer	Couleurs Entrer Sortir	Sons A:Sortir V:Entrer	Sons Entrer Sortir
Ankylose	Diminution ou impossibilité des mouvements d'une articulation	1° Zone: -région concernée	1° Vert	Jaune	1° La	Fa
Points à masser dans les oreilles:		2° Glandes: -surrénales -hypophyse	2° Blanc	Noir	2° Sol	Ré
région concernée et 26 int, 19 ext., 30		3° Élément: -eau	3° Bleu(V)	Jaune(R)	3° Ré(V)	Fa(R)
Arthrite Arthrose	Inflammation des articulations et des tendons	1° Zone: -région concernée	1° Vert	Jaune	1° La	Fa
		2° Glandes: -tout le système endocrinien	2° Blanc	Noir	2° Sol	Ré
Région concernée et 1, 28, 25		3° Éléments: -bois -eau -métal	3° Blanc(VB) Bleu(V) Blanc(GI)	Vert(F) Jaune(R) Rouge(P)	3° Sol(VB) Ré(V) Sol(GI)	La(F) Fa(R) Do(P)
Blessure aux ménisques des genoux	Lésion de la formation fibro-cartilagineuse située entre les deux surfaces articulaires du genou, nécessitant parfois une chirurgie	1° Zone: -genou	1° Vert	Jaune	1° La	Fa
		2° Glandes: -surrénales -thymus	2° Blanc	Noir	2° Sol	Ré
26 int. et ext., 22, 14		3° Éléments: -eau -bois	3° Bleu(V) Blanc(VB)	Jaune(R) Vert(F)	3° Ré(V) Sol(VB)	Fa(R) La(F)

Système Osseux

Problèmes de santé	Description	Etapes	Couleurs		Sons	
			V:Sortir A:Entrer	Entrer Sortir	A:Sortir V:Entrer	Entrer Sortir
Bursite	Inflammation de la bourse séreuse du genou, du coude ou de l'épaule	1° Zone: -région concernée 2° Glandes: -surrénales -thymus -parathyroïdes 3° Elément: -bois	1° Vert 2° Blanc 3° Blanc(VB)	Jaune Noir Vert(F)	1° La 2° Sol 3° Sol(VB)	Fa Ré La(F)
Points à masser dans les oreilles:						
région concernée et 35, 28						
Epicondylite	Inflammation de l'apophyse de l'extrémité inférieure de l'humérus	1° Zone: -humérus 2° Glandes: -surrénales 3° Eléments: -eau -feu -métal	1° Vert 2° Blanc 3° Bleu(V) Bleu(IG) Blanc(GI)	Jaune Noir Jaune(R) Rouge(C) Rouge(P)	1° La 2° Sol 3° Ré(V) Ré(IG) Sol(GI)	Fa Ré Fa(R) Do(C) Do(P)
Région concernée et 3, 28, 23						
Fracture	Rupture d'un os	1° Zone: -région concernée 2° Glandes: -parathyroïdes 3° Elément: -eau	1° Vert 2° Blanc 3° Bleu(V)	Jaune Noir Jaune(R)	1° La 2° Sol 3° Ré(V)	Fa Ré Fa(R)
Région concernée et 26 int. et ext., 25						

Système Osseux

Problèmes de santé	Description	Etapes	Couleurs V:Sortir A:Entrer	Couleurs Entrer Sortir	Sons A:Sortir V:Entrer	Sons Entrer Sortir
Hallux valgus (oignons)	Déviation souvent douloureuse du gros orteil en dehors	1° Zone: -gros orteil	1° Vert	Jaune	1° La	Fa
Points à masser dans les oreilles: Point du gros orteil et 9, 11		2° Glandes: -pancréas	2° Blanc	Noir	2° Sol	Ré
		3° Elément: -bois	3° Blanc(VB)	Vert(F)	3° Sol(VB)	La(F)
Hernie discale	Déchirure du tissu d'un disque intervertébral	1° Zone: -région concernée	1° Vert	Jaune	1° La	Fa
		2° Glande: -hypophyse	2° Blanc	Noir	2° Sol	Ré
Région concernée et 21, 22		3° Elément: -eau	3° Bleu(V)	Jaune(R)	3° Ré(V)	Fa(R)
Ostéoporose	Décalcification des os qui deviennent poreux	1° Zone: -région concernée	1° Vert	Jaune	1° La	Fa
		2° Glandes: -ovaires ou -testicules -surrénales -parathyroïdes	2° Blanc	Noir	2° Sol	Ré
Région concernée et 35, 32		3° Elément: -eau	3° Bleu(V)	Jaune(R)	3° Ré(V)	Fa(R)

Problèmes de santé	Description	Etapes	Couleurs		Sons	
			V:Sortir A:Entrer	Entrer Sortir	A:Sortir V:Entrer	Entrer Sortir
Scoliose	Déviation de la colonne vertébrale dans le sens transversal	1° Zone: -colonne vertébrale	1° Vert	Jaune	1° La	Fa
		2° Glandes: -ovaires ou -testicules -thyroïde -hypophyse	2° Blanc	Noir	2° Sol	Ré
Points à masser dans les oreilles:		3° Eléments: -eau -bois	3° Bleu(V) Blanc(VB)	Jaune(R) Vert(F)	3° Ré(V) Sol(VB)	Fa(R) La(F)
Région concernée et 11, 15 int.						

Système respiratoire

Élément Métal

Visuel: Sortir Blanc   Rentrer Rouge
Auditif: Sortir Sol   Rentrer Do

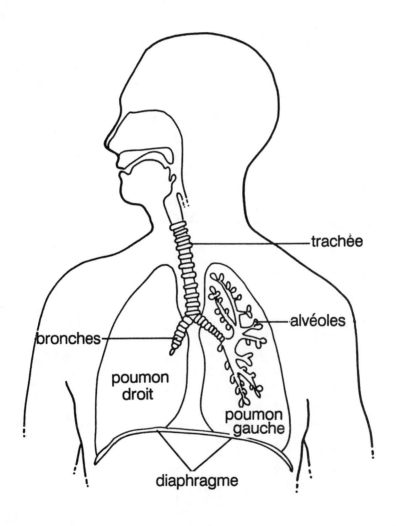

trachée

alvéoles

bronches

poumon
droit

poumon
gauche

diaphragme

Système Respiratoire

Problèmes de santé	Description	Etapes	Couleurs		Sons	
			V:Sortir A:Entrer	Entrer Sortir	A:Sortir V:Entrer	Entrer Sortir
Amygdalite (angine) Laryngite Pharyngite	Inflammation des amygdales, du larynx ou du pharynx	1° Zones: -amygdales -larynx -pharynx	1° Vert	Jaune	1° La	Fa
Points à masser dans les oreilles:		2° Glandes: -surrénales -thymus	2° Blanc	Noir	2° Sol	Ré
1, 35, 34, 7		3° Elément: -bois	3° Blanc(VB)	Vert(F)	3° Sol(VB)	La(F)
Aphonie	Extinction de la voix	1° Zone: -cordes vocales	1° Vert	Jaune	1° La	Fa
		2° Glandes: -organes génitaux -thymus -thyroïde	2° Blanc	Noir	2° Sol	Ré
1, 35, 34, 7		3° Elément: -bois	3° Blanc(VB)	Vert(F)	3° Sol(VB)	La(F)
Asthme	Spasme des bronches qui nuit surtout à l'expiration et qui s'accompagne souvent d'une augmentation des sécrétions bronchiques	1° Zone: -hypothalamus	1° Vert	Jaune	1° La	Fa
		2° Glandes: -surrénales	2° Blanc	Noir	2° Sol	Ré
34, 4, 24		3° Elément: -métal	3° Blanc(GI)	Rouge(P)	3° Sol(GI)	Do(P)

Système Respiratoire

Problèmes de santé	Description	Etapes	Couleurs		Sons	
			V:Sortir A:Entrer	Entrer Sortir	A:Sortir V:Entrer	Entrer Sortir
Bronchite	Inflammation de la muqueuse des bronches	1° Zone: -bronches 2° Glandes: -surrénales -thymus 3° Eléments: -métal -bois	1° Vert 2° Blanc 3° Blanc(GI) Blanc(VB)	1° Jaune 2° Noir 3° Rouge(P) Vert(F)	1° La 2° Sol 3° Sol(GI) Sol(VB)	1° Fa 2° Ré 3° Do(P) La(F)
Points à masser dans les oreilles: 35, 34, 4, 24						
Croup	Spasmes du larynx, surtout chez l'enfant, rendant la respiration difficile et provoquant une toux bruyante	1° Zone: -hypothalamus 2° Glandes: -surrénales 3° Eléments: -métal -eau	1° Vert 2° Blanc 3° Blanc(GI) Bleu(V)	1° Jaune 2° Noir 3° Rouge(P) Jaune(R)	1° La 2° Sol 3° Sol(GI) Ré(V)	1° Fa 2° Ré 3° Do(P) Fa(R)
4, 19 int., 21						
Emphysème pulmonaire	Dilatation permanente des alvéoles pulmonaires causant une toux chronique et de la dyspnée à l'effort	1° Zone: -poumons 2° Glandes: -surrénales 3° Elément: -bois	1° Vert 2° Blanc 3° Blanc(VB)	1° Jaune 2° Noir 3° Vert(F)	1° La 2° Sol 3° Sol(VB)	1° Fa 2° Ré 3° La(F)
26 int., 4, 5, 19 int.						

Système Respiratoire

Problèmes de santé	Description	Etapes	Couleurs V:Sortir A:Entrer	Couleurs Entrer Sortir	Sons A:Sortir V:Entrer	Sons Entrer Sortir
Fièvre des foins	Réaction allergique affectant les conjonctives des yeux, les muqueuses du nez et les sinus	1° Zones: -yeux -nez -sinus	1° Vert	Jaune	1° La	Fa
		2° Glandes: -surrénales	2° Blanc	Noir	2° Sol	Ré
Points à masser dans les oreilles: 34, 21, 24		3° Eléments: -métal -bois	3° Blanc(GI) Blanc(VB)	Rouge(P) Vert(F)	3° Sol(GI) Sol(VB)	Do(P) La(F)
Mal de gorge	Douleur à la gorge	1° Zones: -cou -gorge	1° Vert	Jaune	1° La	Fa
		2° Glandes: -surrénales -thymus	2° Blanc	Noir	2° Sol	Ré
1, 26 int., 7, 12 int.		3° Eléments: -métal -bois	3° Blanc(GI) Blanc(VB)	Rouge(P) Vert(F)	3° Sol(GI) Sol(VB)	Do(P) La(F)
Pleurésie	Inflammation de la plèvre(enveloppe des poumons)	1° Zone: -poumons	1° Vert	Jaune	1° La	Fa
		2° Glandes: -surrénales	2° Blanc	Noir	2° Sol	Ré
26 int., 4, 19 int.		3° Elément: -bois	3° Blanc(VB)	Vert(F)	3° Sol(VB)	La(F)

Système Respiratoire

Problèmes de santé	Description	Etapes	Couleurs		Sons	
			V:Sortir A:Entrer	Entrer Sortir	A:Sortir V:Entrer	Entrer Sortir
Pneumonie Points à masser dans les oreilles: 26 int., 4, 5, 19 int.	Inflammation aiguë des poumons	1° Zone: -poumons 2° Glandes: -tout le système endocrinien 3° Eléments: -métal -bois	1° Vert 2° Blanc 3° Blanc(GI) Blanc(VB)	Jaune Noir Rouge(P) Vert(F)	1° La 2° Sol 3° Sol(GI) Sol(VB)	Fa Ré Do(P) La(F)
Rhinite 2, 35, 21	Inflammation aiguë de la muqueuse des fosses nasales	1° Zone: -fosses nasales 2° Glandes: -thymus -hypophyse 3° Eléments: -métal -bois	1° Vert 2° Blanc 3° Blanc(GI) Blanc(VB)	Jaune Noir Rouge(P) Vert(F)	1° La 2° Sol 3° Sol(GI) Sol(VB)	Fa Ré Do(P) La(F)
Rhume 2, 5, 7, 24	Inflammation aiguë de la muqueuse nasale	1° Zones: -gorge -nez -sinus -yeux 2° Glandes: -surrénales -thymus 3° Eléments: -métal -bois	1° Vert 2° Blanc 3° Blanc(VB)	Jaune Noir Rouge(P) Vert(F)	1° La 2° Sol 3° Sol(GI) Sol(VB)	Fa Ré Do(P) La(F)

Système Respiratoire

Problèmes de santé	Description	Etapes	Couleurs		Sons	
			V:Sortir A:Entrer	Entrer Sortir	A:Sortir V:Entrer	Entrer Sortir
Sinusite	Inflammation des sinus	1° Zone: -sinus 2° Glandes: -surrénales 3° Eléments: -métal -bois	1° Vert 2° Blanc 3° Blanc(Gl) Blanc(VB)	Jaune Noir Rouge(P) Vert(F)	1° La 2° Sol 3° Sol(Gl) Sol(VB)	Fa Ré Do(P) La(F)
Points à masser dans les oreilles: 2, 35, 21						
Tabagisme	Ensemble de troubles physiologiques et psychiques provoqués par l'abus de tabac	1° Zone: -hypothalamus 2° Glandes: -ovaires ou -testicules -surrénales -thyroïde 3° Eléments: -métal -eau	1° Vert 2° Blanc 3° Blanc(Gl) Bleu(V)	Jaune Noir Rouge(P) Jaune(R)	1° La 2° Sol 3° Sol(Gl) Ré(V)	Fa Ré Do(P) Fa(R)
2, 17, 21						
Végétations (inflammation ou adénoïdite)	Hypertrophie de l'amygdale pharyngienne logée à l'arrière de la cavité nasale	1° Zone: -arrière de la cavité nasale 2° Glandes: -surrénales -thymus -hypophyse 3° Elément: -bois	1° Vert 2° Blanc 3° Blanc(VB)	Jaune Noir Vert(F)	1° La 2° Sol 3° Sol(VB)	Fa Ré La(F)
2, 35, 7						

Système urinaire

Élément Eau

Visuel: Sortir Bleu   Rentrer Jaune
Auditif: Sortir Ré   Rentrer Fa

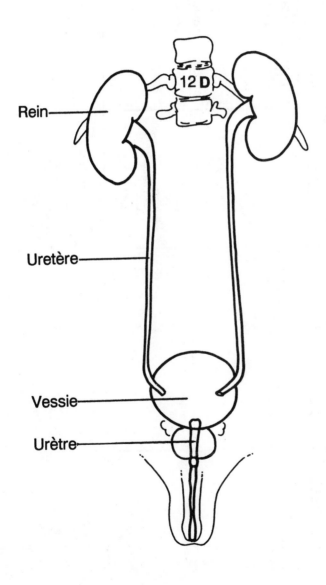

Rein

12 D

Uretère

Vessie

Urètre

Système Urinaire

Problèmes de santé	Description	Etapes	Couleurs			Sons		
			V:Sortir A:Entrer	Entrer Sortir		A:Sortir V:Entrer	Entrer Sortir	
Calculs rénaux	Pierres de sels minéraux ou de matiéres organiques formées dans le rein	1° Zone: -système urinaire	1° Vert	Jaune		1° La	Fa	
Points à masser dans les oreilles:		2° Glandes: -parathyroïde -hypophyse	2° Blanc	Noir		2° Sol	Ré	
26 int., 35, 21, 15 int.		3° Elément: -eau	3° Bleu(V)	Jaune(R)		3° Ré(V)	Fa(R)	
Cystite	Inflammation de la vessie	1° Zone: -vessie	1° Vert	Jaune		1° La	Fa	
		2° Glandes: -surrénales -thymus	2° Blanc	Noir		2° Sol	Ré	
35, 19 int., 21, 15 int.		3° Elément: -eau	3° Bleu(V)	Jaune(R)		3° Ré(V)	Fa(R)	
Enurésie et Incontinence	Emission involontaire d'urine	1° Zone: -hypothalamus	1° Vert	Jaune		1° La	Fa	
		2° Glandes: -surrénales -hypophyse	2° Blanc	Noir		2° Sol	Ré	
21 int., 15 int., 24		3° Elément: -eau	3° Bleu(V)	Jaune(R)		3° Ré(V)	Fa(R)	

Système Urinaire

Problèmes de santé	Description	Étapes	Couleurs		Sons	
			V:Sortir A:Entrer	Entrer Sortir	A:Sortir V:Entrer	Entrer Sortir
Goutte	Inflammation douloureuse autour des articulations, avec dépôt d'urates	1° Zone: -articulation douloureuse 2° Glandes: -pancréas -surrénales 3° Éléments: -eau -bois	1° Vert 2° Blanc 3° Bleu(V) Blanc(VB)	Jaune Noir Jaune(R) Vert(F)	1° La 2° Sol 3° Ré(V) Sol(VB)	Fa Ré Fa(R) La(F)
Points à masser dans les oreilles: 17, 21, 11, 15 int., 25						
Insuffisance rénale 26 int. et ext., 28, 19 int., 15 int.	Déficience des reins	1° Zone: -hypothalamus 2° Glandes: -surrénales -hypophyse 3° Élément: -eau	1° Vert 2° Blanc 3° Bleu(V)	Jaune Noir Jaune(R)	1° La 2° Sol 3° Ré(V)	Fa Ré Fa(R)
Néphrite Voir un médecin 35, 21, 15 int.	Inflammation des néphrons du rein	1° Zones: -rein -uretère -vessie 2° Glandes: -surrénales -thymus 3° Élément: -bois	1° Vert 2° Blanc(VB) 3° Blanc(VB)	Jaune Noir Vert(F)	1° La 2° Sol 3° Sol(VB)	Fa Ré La(F)

Système Urinaire

Problèmes de santé	Description	Etapes	Couleurs			Sons		
			V:Sortir A:Entrer	Entrer Sortir		A:Sortir V:Entrer	Entrer Sortir	
Oedème	Gonflement diffus causé par une accumulation anormale de liquide dans les espaces intercellulaires des tissus	1° Zone: -région oedéma- teuse 2° Glandes: -ovaires ou -testicules -surrénales -hypophyse 3° Eléments: -eau -bois	1° Vert 2° Blanc 3° Bleu(V) Blanc(VB)	1° Jaune 2° Noir 3° Jaune(R) Vert(F)		1° La 2° Sol 3° Ré(V) Sol(VB)	1° Fa 2° Ré 3° Fa(R) La(F)	
Points à masser dans les oreilles:								
Région concernée et 15 int, 24								
Urémie	Accumulation dans le sang de produits azotés, en général liée à une insuffisance grave de la fonction des reins	1° Zone: -hypothalamus 2° Glandes: -surrénales -hypophyse 3° Elément: -eau	1° Vert 2° Blanc 3° Bleu(V)	1° Jaune 2° Noir 3° Jaune(R)		1° La 2° Sol 3° Ré(V)	1° Fa 2° Ré 3° Fa(R)	
35, 21, 15 int.								

CONCLUSION

Le sujet qui a donné naissance à ce livre était vaste et ambitieux. Il fallait une bonne dose d'enthousiasme et de confiance pour s'attaquer à la réflexologie du cerveau. Vu dans l'optique du profil du visuel et de l'auditif, il a été plus facile de le mener à terme parce que nous avons pu donner à l'un et à l'autre les moyens de rétablir la communication entre les deux hémisphères de leur cerveau. Nous nous sommes servies du fait que chacun avait un hémisphère dominant pour corriger leurs phobies, faire disparaître en partie, ou mieux en tout, leurs problèmes de santé et pour les maintenir par la suite en bonne santé physique et mentale.

Nous ne prétendons pas , bien entendu, résoudre tous les problèmes. Nous avons tous à vivre des situations pénibles que nous ne pouvons changer (deuil, séparation, maladie, etc.). Cependant, nous pouvons y faire face avec plus de sérénité en utilisant l'une ou l'autre des techniques décrites dans ce livre. Elles nous permettent de nous défaire de nos «nœuds» psychologiques en faisant circuler librement l'énergie de tout notre être.

Nous avons trouvé extraordinaire cette division de l'humanité en deux groupes: les visuels et les auditifs. Toute la philosophie de ce livre repose sur ce principe. Il nous est apparu évident et incontestable que loin de s'opposer les uns aux autres, ils sont complémentaires: ils se communiquent mutuellement leur façon d'appréhender l'univers, de comprendre la vie, la rendant ainsi plus riche, plus pleine et plus harmonieuse.

Ils sont faits les uns pour les autres et on s'en rend compte si on joint la première lettre de *Visuel* avec la première lettre d'*Auditif*, ce qui donne :

VA

Que dire de plus!

BIBLIOGRAPHIE

AMAR, Maurice et ROSENTIEL-HELLER, Pierre, *L'auriculothérapie sans aiguille*, Robert Laffont, 1987.

ASIMOV, Isaac, *Le cerveau,* Marabout universel, 1977.

BANDLER, Richard et GRINDER, John, *Les secrets de la communication,* Le jour éditeur, division de Sogides, 1982.

BENCE, L. et MÉRAUX, M., *Guide pratique de musicothérapie*, Édition Dangles, 1987.

CABOT, Tracy, *Comment garder l'amour de votre homme*, Les Éditions Québécor, Montréal, 1987.

CALLAHAN, Roger J., *Five Minute Phobia Cure,* Entreprises Publishing Inc., Wilmington, De 1980, 1985.

CLARK, Linda, *The Ancient Art of Color Therapy,* Devin-Adair Co., Connecticut, 1975.

DERVIEUX, Dominique, *L'acupuncture à la portée de tous,* Buchet/Chastel, Paris, 1979.

DERVIEUX, Dominique, *Dangers et miracles des boucles d'oreilles* , Buchet/Chastel, Paris, 1984.

EDWARDS, Betty, *Drawing on the right side of the brain,* J.P. Tarcher, Inc. Los Angeles, 1979.

HUMEAU, Sophie, *Les musiques qui guérissent*, Retz, Paris, 1985.

KOVACS, René, *L'auriculomédecine en consultation journalière,* Tome I, Maloine S.A., Paris, 1983.

LAFONTAINE, Raymond, *L'univers des auditifs et des visuels* Éditions du Nouveau Monde, Québec, 1981.

LECOURS, Rock Andr. et L'HERMITTE, François, *L'aphasie*, Flammarion, Les Presses de l'Université de Montréal, 1979.

LE PONCIN, Monique, *Gym Cerveau,* stock, 1987.

MEUNIER-TARDIF, Ghislaine, *Les auditifs et les visuels,* Libre Expression, 1985.

MINNINGER, Joan, *Total Recall,* Rodale Press, Emmaus, 1984.

NOGIER, Paul, *Introduction à l'auriculothérapie,* Maisonneuve.

ORSTEIN, Robert et THOMPSON, Richard, *L'incroyable aventure du cerveau,* Interéditions, Paris, 1987.

PAUL, Maela et Patrick, *Le chant sacré des énergies,* Éditions Présence, 1983.

RESTAK, Richard, *Le cerveau de l'enfant,* Robert Laffont, Paris, 1988.

ROBERT, Ivon, *La pédagogie des visuel-les et des auditif-ves,* Recueil de notes, Éditions Ivon Robert, Montréal, 1986.

Science et vie, *Les cinq sens,* no 158, mars 1987.

SILVA, José, *La méthode Silva,* Stock, 1987.

SIRIM, *Alors survient la maladie,* Empirika/Boréal Express, Montréal, 1984.

TAYLOR, Gordon Rattray, *Le cerveau et ses mystères,* Calmann-Lévy, France, 1981.

TURGEON, Madeleine, *Découvrons la réflexologie,* Éditions de Mortagne, Bouchervile, 1980.

TURGEON, Madeleine, *Énergie et réflexologie,* Éditions de Mortagne, Bouchervile, 1985.

VESTER, Frederic, *Penser, Apprendre, Oublier,* Delachaux et Niestlé, Paris, 1984.

WONDER ,Jacquelyn et DONOVAN, Priscilla, *Utilisez les pouvoirs de votre cerveau,* Garancière, Jean-Paul Bertrand Éditeur, 1987.

INDEX

A

B

C

D

K

L

M

N

O

P

R

S

V

Y

Z

Ami lecteur,

Vous serait-il possible de me faire parvenir les commentaires qu'a suscités chez vous la lecture de ce livre.

L'intérêt que vous manifestez envers mon travail est pour moi un stimulant précieux qui m'aide à poursuivre mes recherches sur la réflexologie du cerveau. Si vous allez de l'avant avec moi dans la réflexologie des couleurs et des sons, peut-être aurais-je l'audace d'explorer celle des saveurs et des odeurs, car vous vous imaginez bien que chaque sens doit avoir une réflexologie qui lui est propre.

Merci et bonne santé à tous!

Madeleine Turgeon
a/s Les Éditions de Mortagne
250, boul. Industriel
Boucherville, Québec
J4B 2X4

HARMONISATION DES MÉRiDIENS
(Correction des phobies)

Préparation:

Faire situer la phobie sur une échelle de 0 - 10; demander de respirer profondément et tapoter doucement le côté externe des deux mains.

Procédure à suivre:
ÉTAPE N°1

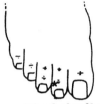

*Fin du méridien
de l'estomac

Pied droit:

Calmer la fin du méridien de l'estomac sur le deuxième orteil.

Pied gauche:

Stimuler la fin du méridien de l'estomac sur le deuxième orteil.

Visuel: Pied droit d'abord, suivi du gauche.
Auditif: Pied gauche d'abord, suivi du droit.

ÉTAPE N°2

Pied droit:

Calmer la fin du méridien de l'estomac sur le deuxième orteil et compter.

Pied gauche:

Stimuler la fin du méridien de l'estomac sur le deuxième orteil et fredonner.

Visuel: Pied droit d'abord, en comptant à voix haute, suivi du pied gauche en fredonnant intérieurement.

Auditif: Pied gauche d'abord, en fredonnant à voix haute, suivi du pied droit en comptant intérieurement.

Découpez cette carte en suivant les pointillés. Placez-la dans votre chéquier et vous pourrez la consulter en tout temps.

HARMONISATION DES MÉRIDIENS (suite)
ÉTAPE N°3

yeux

en bas

à droite

yeux

en bas

à gauche

Pied droit:

Calmer la fin du méridien de l'estomac sur le deuxième orteil en plaçant les yeux en bas à droite.

Pied gauche:

Stimuler la fin du méridien de l'estomac sur le deuxième orteil en plaçant les yeux en bas à gauche.

Visuel: Pied droit d'abord, suivi du gauche.
Auditif: Pied gauche d'abord, suivi du droit.

Terminer en vérifiant à quel échelon la personne situe sa phobie et demander au visuel de placer sa main gauche sur la région de l'estomac si le besoin s'en fait sentir et à l'auditif de placer sa main droite sur la région de l'estomac au besoin.

Si échec, vérifier les autres méridiens (en particulier le foie) et demander à la personne de stimuler une fois par jour le méridien de l'intestin grêle en tapotant doucement le côté externe des deux mains pour corriger l'inversion psychologique s'il y a lieu.

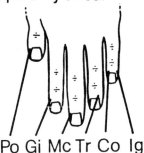

Po Gi Mc Tr Co Ig

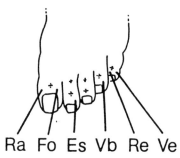

Ra Fo Es Vb Re Ve

RESPIRATION DES COULEURS

BOIS:	Vésicule biliaire	Sortir	Blanc
	Foie	Entrer	Vert
FEU:	Intestin grêle	Sortir	Bleu
	Coeur	Entrer	Rouge
TERRE:	Estomac	Sortir	Vert
	Rate - Pancréas	Entrer	Jaune
MÉTAL:	Gros intestin	Sortir	Blanc
	Poumon	Entrer	Rouge
EAU:	Vessie	Sortir	Bleu
	Rein	Entrer	Jaune

GLANDES ENDOCRINES:	Sortir	Blanc
	Entrer	Noir

Découpez cette carte en suivant les pointillés. Placez-la dans votre chéquier et vous pourrez la consulter en tout temps.

RESPIRATION DES SONS

BOIS:	Vésicule biliaire	Sortir	Sol
	Foie	Entrer	La
FEU:	Intestin grêle	Sortir	Ré
	Coeur	Entrer	Do
TERRE:	Estomac	Sortir	La
	Rate - Pancréas	Entrer	Fa
MÉTAL:	Gros intestin	Sortir	Sol
	Poumon	Entrer	Do
EAU:	Vessie	Sortir	Ré
	Rein	Entrer	Fa
GLANDES ENDOCRINES:		Sortir	Sol
		Entrer	Ré

Bois: systèmes musculaire et lymphatique
Feu: systèmes cardio-vasculaire et génital
Terre: systèmes nerveux et digestif
Métal: système respiratoire
Eau: systèmes osseux et urinaire.

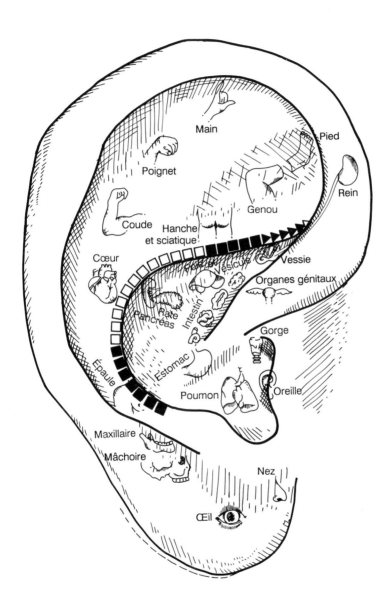

Découpez cette carte en suivant les pointillés. Placez-la dans votre chéquier et vous pourrez la consulter en tout temps.

CARTOGRAPHIE DE L'OREILLE

1. Œil
   Hypophyse et Épiphyse
2. Nez
3. Maxillaire
4. Poumon
5. Oreille
6. Estomac
7. Gorge
8. Int.Gonades
9. Pancréas — Rate
10. Cœur
11. Foie et Vésicule
12. Int.Rectum
13. Sciatique

14. Genou
15. Int.Rein
16. Trijumeau
17. Comportement
18. Tragus
19. Int. Peau
    Ext. Corps calleux
20. Épaule

21. Zéro
22. Membres inférieurs
23. Membres supérieurs

24. Allergies
25. Point de Darwin
26. Int.Point de synthèse
26. Ext.Zone anti-stress
27. Hypothalamus
    postérieur
28. Point occipital
29. Point génital

30. Zone médullaire
31. Intestin
32. Métabolisme et Vessie
33. Hypothalamus antérieur
34. Système sympathique
35. Point surrénalien
36. Thymus

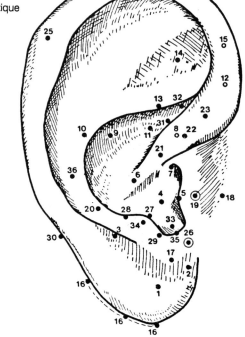